Langenscheidts
Internet-Wörterbuch

Englisch – Deutsch

Völlige Neubearbeitung 2000

Herausgegeben von der
Langenscheidt-Redaktion
in Zusammenarbeit mit
Süddeutsche Zeitung online

W0174183

LANGENSCHEIDT

BERLIN · MÜNCHEN · WIEN · ZÜRICH · NEW YORK

Inhaltsverzeichnis

Originalausgabe 1997 von Eva und Rumold Hochrath
Ausgabe 2000 bearbeitet von Susanne Herda und Jürgen Fischer

Die Nennung von Waren erfolgt in diesem Werk, wie in Nachschlagewerken
üblich, ohne Erwähnung etwa bestehender Patente, Gebrauchsmuster oder
Marken. Das Fehlen eines solchen Hinweises begründet also nicht die
Annahme, eine Ware oder ein Warenname sei frei.

Ergänzende Hinweise, für die wir jederzeit dankbar sind,
bitten wir zu richten an:
Langenscheidt-Verlag, Postfach 40 11 20, 80711 München

Auflage:	5.	4.	3.	2.	1.	*Letzte Zahlen*
Jahr:	04	03	02	01	2000	*maßgeblich*

Druck: Graph. Betriebe Langenscheidt, Berchtesgaden/Obb.
Printed in Germany · ISBN 3-468-20393-4

Vorwort

Nur wenige Erfindungen haben die Verständigung der Menschen im 20. Jahrhundert so nachhaltig beeinflusst und verändert wie das Internet, dieser weltweite Verbund von Computernetzwerken, an den tausende von Rechnern angeschlossen sind, die über alle geographischen und technischen Grenzen hinweg miteinander kommunizieren (siehe >**Internet**).

Langenscheidt präsentiert nun in Zusammenarbeit mit Süddeutsche Zeitung online die völlige Neubearbeitung des bekannten *Internet-Wörterbuches Englisch – Deutsch*. Das neue Werk vereinigt die journalistische und die lexikographisch-sprachliche Kompetenz der beiden Kooperationspartner und bietet den Benutzern rund 1 200 aktuelle Stichwörter aus der Welt des Internets, darunter viele hundert aktuelle Einträge zu den jüngsten Entwicklungen im "Net", wie zum Electronic Commerce und zur Schnittstelle Internet-Telefonie. Neben der Berücksichtigung der historischen Entwicklung – viele Erscheinungen werden erst vor diesem Hintergrund verständlich –, wird auch der stets wachsenden Bedeutung des Internets für das tägliche Leben Rechnung getragen. Deshalb wurden neben dem notwendigen "Technikerlatein" vor allem auch die Organisationen, Abkürzungen und Akronyme sowie die typischen Kunstwörter und Emoticons aufgenommen, die "Otto Normal-User" online begegnen. Alle Stichwörter werden leicht verständlich auf Deutsch erklärt, und viele Verweise sorgen für ein dichtes Netz an Informationen.

Als Basis für diese Neubearbeitung diente die von Langenscheidt und Süddeutsche Zeitung online gemeinsam betriebene Web-Site **www.networds.de**, die – auch über das Erscheinungsdatum dieser Printausgabe hinaus – ständig aktualisiert und mit neuen Einträgen ergänzt wird. Besuchen Sie uns also auch im Netz!

Eine gedruckte Sammlung wie die hier vorliegende kann natürlich niemals Vollständigkeit und Tagesaktualität erreichen, sodass wir gerne diejenigen, die noch mehr über das Internet erfahren möchten, auf das Medium verweisen wollen, das scheinbar unendliche Möglichkeiten bietet, sich Informationen in jedem gewünschten Umfang zu beschaffen: auf das Internet selbst!

Viel Spaß beim Nachschlagen und Surfen wünschen

LANGENSCHEIDT und
Süddeutsche Zeitung online

Hinweise für die Benutzer

1. Die **Stichwörter** sind in streng alphabetischer Reihenfolge aufgenommen.

2. Die **Eintragsstruktur** ist ganz einfach: In der linken Spalte findet man fett gedruckt die **Stichwörter**, darunter in eckigen Klammern deren Aussprache, ggf. die Langformen von abgekürzten Stichwörtern und/ oder Kategorisierungen in runden Klammern wie z. B. *(Firmen-/Anbietername)* oder *(Akronym)*. In der rechten Spalte sind, wo es sie gibt, deutsche **Übersetzungen** bzw. **Übertragungen** der englischen Stichwörter aufgeführt sowie ausführliche deutschsprachige Erläuterungen und/oder Verweise (>...) auf andere Einträge, z. B.:

Amazon.com	Weltweit größter Internet-Buchhändler, der
[**ämm**əson dott **komm**]	neben Büchern inzwischen auch Musikträger
(Firmen-/Anbieter-	und Videos im Sortiment hat und seit 1998
name)	auch in Deutschland und England eine Web-
	Site (>site) betreibt.

3. Wo in der rechten Spalte anstelle einer Erläuterung auf Deutsch nur ein **Verweis** steht, findet man die gesuchte Information unter dem Stichwort, auf das verwiesen wird. Zusätzliche Verweise innerhalb von Erläuterungen führen zu den Einträgen über die jeweiligen Begriffe.

4. Die bei den meisten Stichwörtern angegebene **Aussprache** des Englischen – Ausnahmen sind Eigennamen sowie Chat-Akronyme und Emoticons, da Letztere nur schriftlich benutzt werden – wird der Einfachheit halber mit von der deutschen Aussprache her eindeutigen Buchstaben des lateinischen Alphabets wiedergegeben. Dabei ist ß das stimmlose, scharfe s vor Vokalen und weichen Konsonanten. Lang gesprochene Vokale werden durch ein zusätzliches **h** ausgedrückt, hart gesprochene Konsonanten durch doppelte Buchstaben. Getrennt gesprochene Laute bzw. Silben sind durch einen Bindestrich dargestellt. Nur drei phonetische Sonderzeichen werden verwendet:

Zeichen	Laut	Beispiel
θ	stimmloses, scharfes *th*	[pahθ] = path
ð	stimmhaftes, weiches *th*	[**äll**gəriðm] = algorithm
ə	Schwa-Laut, ganz schwaches *e*	[prə**wai**də] = provider

Die **betonte(n) Silbe(n)** ist bzw. sind immer **fett** gedruckt.

5. Für das Deutsche gelten die Regeln der neuen amtlichen Rechtschreibung, gültig seit dem 1.8.1998.

Wörterverzeichnis

1TR6
1. Technische Richtlinie
Nr. 6

D-Kanal-Protokoll (>D-Kanal) der Deutschen Telekom, das die Übertragungsregeln für das nationale >ISDN wie Teilnehmeranwahl und Datenübergabe definiert. Um einen einheitlichen Standard zu gewährleisten, wird 1TR6 durch das Euro-ISDN-Protokoll >DSS1 abgelöst werden.

3-D
[θrihdih]
three-dimensional

3D
>three-dimensional.

3-D graphics
[θrihdih gräffickß]
three-dimensional graphics

3D-Grafik
Dreidimensionale Darstellung von Objekten (>three-dimensional), deren dritte Dimension auf einem zweidimensionalen Medium durch das so genannte Rendering mittels Schattierungen und Farbverläufen erstellt wird; vgl. >3-D sound, >VRML.

3-D sound
[θrihdih ßaund]
three-dimensional sound

3D-Sound
Dreidimensionaler Sound (>three-dimensional), der als Stereoton aufgezeichnet wird, beim Abspielen eine bessere Lokalisierung der Tonquellenposition ermöglicht und damit dem Klang mehr Räumlichkeit verleiht; vgl. >3-D graphics.

400
bad request

ungültige Anforderung: HTTP-Statuscode (>HTTP status code) für eine "ungültige" Anforderung: Bei der Transaktion des Clients (>client) mit dem Server (>server) wurde eine ungültige Syntax festgestellt, d. h. der User hat z. B. eine >URL falsch eingegeben.

401
unauthorized

nicht autorisiert: HTTP-Statuscode (>HTTP status code) für eine "nicht autorisierte" Anforderung: Bei der Transaktion des Clients (>client) mit dem Server (>server) wurde eine fehlende Autorisierungsinformation festgestellt, d. h. der User darf auf die angeforderte Site (>site) und die dazugehörenden Web-Seiten nicht zugreifen.

402
payment required

gebührenpflichtig: HTTP-Statuscode (>HTTP status code) für eine "gebührenpflichtige" Anforderung, d. h. bei der Transaktion des Clients (>client) mit dem Server (>server) wurde eine fehlende Kontoinformation festgestellt.

403
forbidden

gesperrt: HTTP-Statuscode (>HTTP status code) für einen nicht konnektierten "gesperrten" Zugang.

404
not found

nicht gefunden: HTTP-Statuscode (>HTTP status code) für eine "nicht gefundene" >URL-Adresse bei der Transaktion des Clients (>client) mit dem Server (>server).

@
[ätt]
commercial at

etwa: **bei**
Das auch "Klammeraffe" genannte Zeichen ist Bestandteil einer E-Mail-Adresse (>e-mail, >address): Es bezeichnet die Erreichbarkeit eines Adressaten über einen Provider-Server (>provider, >server) und wird im Sinne von "at" = "bei" verwendet, z. B. "meier@t-online.de" = "Meier bei T-Online".

AAN
[eh-eh-**änn**]
All Area Network

etwa: **Ganzbereichsnetzwerk**
Netzwerk von nicht speziell begrenzter Größe bzw. Ausdehnung; vgl. >LAN, >WAN.

a/b adapter
[eh/**bih** ədäpptə]

A/B-Adapter
Adapter, der den Anschluss und Betrieb analoger Geräte (>analogue) wie Modems (>modem) an >ISDN ermöglicht.

a/b converter
[eh/**bih** kənwöhtə]

A/B-Wandler
>D/A converter.

absolute path
[**äbb**ßəluht pahθ]

absoluter Pfad
Pfad-Angabe (>path), die beim Stammverzeichnis eines Datenträgers wie einem Server (>server) beginnt; vgl. >relative path.

acceptable use policy
[ək**ß**äpptəbl **juhß** poll əßi]

etwa: **verbindliche Nutzungsordnung, Richtlinien**
Sowohl technische als auch inhaltliche Richtlinien, die ein Internet-Service-Provider (>provider) vorgibt, um die Nutzung seines Internet-Zugangs zu regeln.

access provider
[äckßess prəwaidə]

"Zugangsbereitsteller"
Jede kommerzielle oder private Organisation, die Zugänge zum Internet oder Teilen davon, z. B. E-Mail (>e-mail), anbietet; vgl. >on-line service provider.

account
[əkaunt]

Rechnung, Konto
Zugangsberechtigung eines Users (>user), über die ggf. auch die Gebühren seines Online-Zugangs (>on-line) abgerechnet werden; wird in der Regel beim Einloggen (>login) zusammen mit dem Passwort (>password) abgefragt.

ACE
[eh-ßih-ih]
Access Control Entry

Zugangskontrolleintrag
Eintrag in einer Zugangskontrollliste unter dem Betriebssystem (>OS) Windows NT, der Zugriffsrechte für bestimmte Dateien im Netzwerkdateisystem >NFS definiert.

ACK
[eh-ßih-keh *oder* äck]
Acknowledgement

"Empfangsbestätigung", "Quittung"
1. Element eines Protokolls (>protocol) bei der Datenübertragung, das die erfolgreiche Übertragung von Daten signalisiert; vgl. >NAK, >ETX.

2. Im übertragenen Sinn wird das Wort auch – in E-Mails (>e-mail) und Chats (>chat) – anstelle von "O.K., ich hab's kapiert" oder als einfaches "Hallo, ich bin da" verwendet.

Acme
[äckmi]

Nonsenswort aus der Comicwelt: Hier ist "Acme" der anerkannte/offizielle Lieferant für bizarre und komplizierte Produkte oder Vorrichtungen, die durch pompöse Technik beeindrucken, aber dann nur kümmerlich oder gar nicht funktionieren. Etwas, das mit dem Beiwort "Acme" belegt wird ("Dies ist ein Acme-Programm!"), sieht beeindruckend aus, ist in Wirklichkeit aber der reine Unsinn.

Geschichte: Der besonders von amerikanischen Hackern (>hacker) geschätzte Ausdruck stammt aus der Warner-Brothers-Zeichentrickserie "Roadrunner", in der die Figur Wile E. Coyote den Roadrunner jagt und dazu die bizarrsten technischen Hilfsmittel verwendet: Taschenraketen, Katapulte, Magnetfallen, Hochenergiesteinschleudern etc. Alle diese Vorrichtungen funktionieren nicht und/oder haben spektakuläre Pannen. Geliefert werden sie in großen Kartons mit der Firmenaufschrift "Acme".

Acrobat
[äckrəbätt]
(Produktname)

Multimedia-Autorensystem (>multimedia) von Adobe zum Erstellen von aufwendigen, gestaltungsintensiven Präsentationen. Die Zusatzsoftware (>plug-in) "Amber" für den >Netscape Navigator ermöglicht es, Acrobat-Dokumente innerhalb von Web-Seiten (>World Wide Web) zu laden und gleich online (>on-line) zu betrachten.

acronym
[äckrənimm]

Akronym
Abkürzung, die sich aus den Anfangsbuchstaben der Wörter eines Satzes oder einer Wendung zusammensetzt und wiederum ein eigenständiges und aussprechbares Wort ergibt, wie z. B. KISS für "Keep it simple, stupid!". Doch diese klassische Regel wurde bei den im Internet häufig verwendeten Akronymen längst aufgeweicht, sodass es eher um die Abkürzung geht, auch ohne dass ein eigenständiges Wort entsteht (vgl. z. B. >BTDT, >NRN). Darüber hinaus sind Internet-Akronyme oft phonetische Abkürzungen für englische Ausdrücke, wie z. B. B4 für "be four" = "before" = "vor, bevor". Ursprünglich gedacht, um sich online (>on-line) lange Tastatureingaben zu sparen, inzwischen aber eine beliebte Spielerei; vgl. >emoticon, >smiley.

Grundsätzlich ist darauf hinzuweisen, dass der größte Teil aller Akronyme zu den subjektiven, unsachlichen bis ordinären Slangausdrücken zählt. Stilistisch ist es dem Absender überlassen zu entscheiden, ob er beim Empfänger der Nachricht genügend Humor erwarten kann. In der offiziellen, geschäftlichen Kommunikation sollte man sicherheitshalber auf Akronyme verzichten.

Active Desktop
[äcktiw däßcktopp]
(Produktname)

"Aktiver Desktop"
Benutzeroberfläche, die es ermöglicht, "aktive Inhalte" aus dem Internet auf dem Desktop von Windows 95 zu platzieren. Mit der Markteinführung des Internet Explorers 4.0 (>Internet

Explorer) wurde dieser Fachbegriff erstmalig in die PC-Welt eingeführt.

ActiveMovie
[**äck**tiw**muh**wih]
(Produktname)

"Aktives Kino"
Eine von Microsoft entwickelte Technologie für digitales (>digital) Video, die sich auch im Online-Bereich (>on-line) einsetzen lässt.

ActiveX
[**äck**tiw**äckß**]
(Produktname)

Browser-Technologie (>browser), von Microsoft für den >Internet Explorer ab Versionsnummer 3 entwickelt, die es ermöglicht, interaktive Elemente (>interactive) in Web-Seiten (>World Wide Web) einzubetten.

adaptive answering
[ə**däpp**tiw **ahn**ßəring]

"anpassungsfähiges Antwortverhalten"
Fähigkeit eines Modems (>modem), automatisch zu erkennen, ob es sich bei einem eingehenden Anruf um ein Fax oder um eine Datenübertragung handelt.

ad click
[**äd** klick]

"Werbeklick"
Einheit zur Messung der Anzahl der Mausklicks auf ein Werbebanner im Internet.

ad click rate
[**äd** klick reht]

"Werbeklickrate"
Einheit zur Messung der Anzahl der Benutzer einer Seite im Internet, die dort auf ein Werbebanner (>banner) geklickt haben. Die "Rate" gibt das Verhältnis von Werbeklicks (>ad click) zu Seitenaufrufen (>page view) an.

add-in
[**äd**-inn]

>plug-in.

address
[ə**dräss**]

Adresse
Adresse mit exakt derselben Funktion wie die Adresse auf einem Brief. Im Internet gibt es die verschiedensten Arten von Adressen: technische Adressen von Computern, E-Mail-Adressen (>e-mail) von Personen oder Firmen, Adressen von Web-Seiten (>World Wide Web) etc.; vgl. >URL, >IP address.

address book
[ə**dräss** buck]

Adressbuch
Bestandteil der meisten E-Mail-unterstützenden

(>e-mail) Anwendungen: Möglichkeit, Internet-Adressen (>address) zu speichern, um sie später bei Bedarf einfach ansteuern zu können, vergleichbar dem Kurzwahlregister bei vielen Telefonapparaten. Oft besteht auch die Möglichkeit, ein so genanntes Alias (>alias) zu verwenden, d. h. einen einfach zu merkenden Namen, der für eine komplizierte Adresse steht.

address mask
[ədräss mahsk]

Adresskombination
Bitkombination, die Auskunft darüber gibt, welche Bits (>bit) in einer Internet-Protokoll-Adresse (>IP address, >protocol) zur Adresse eines Netzwerkes (>network) und welche zu der eines Rechners gehören. Damit lässt sich die Herkunft einer am Internet angeschlossenen Domain (>domain) identifizieren.

ad game
[äd gehm]
advertising game

Werbespiel
Gewinnspiel im Internet, bei dem sich die teilnehmenden Spieler mit einem Produkt oder der Marke einer werbetreibenden Firma beschäftigen.

ad impression
[äd impräschn]
advertising impression

"Werbekontakt"
>ad view.

ad mail
[äd mehl]
advertising mail

Werbebrief
Werbung, die per E-Mail (>e-mail) verschickt wird; vgl. >spamming.

administrator
[ədminißtrehtə]

Administrator, Verwalter
Systemverwalter eines Netzwerks, der in der Regel über alle Zugriffsrechte verfügt. Der Administrator einer Web-Site (>site) ist in der Regel der Webmaster (>webmaster).

ADN
[eh-dih-**änn**]
Advanced Digital Network

etwa: **fortschrittliches digitales Netzwerk**
Standleitungsservice (>leased line) für Datenübertragungen mit einer Geschwindigkeit von normalerweise 56 Kilobit pro Sekunde (>kbps), der in der Regel von Telekommunikationsunternehmen angeboten wird.

Ad Server
[**äd** ßöhwə]
Advertising Server

etwa: **Werbe-Server**
Zentraler Computer, der die Verteilung von Werbung im Internet regelt. In Zusammenarbeit mit Cookies (>cookie) wird z. B. dafür gesorgt, dass der User (>user) bei jedem Besuch einer Web-Site (>site) ein anderes Werbebanner (>banner) zu sehen bekommt und dass es sich dabei um möglichst zielgruppenspezifische Werbung handelt. Ein Ad Server misst die Häufigkeit, mit der generell die Werbebanner angeklickt werden (>ad click), und auch die Abrufzahlen der einzelnen Banner, die er bereithält. Er liefert zudem Performance-Reports (>performance), mit denen sichergestellt werden soll, dass bei der Übertragung der Banner keine Engpässe entstehen.

ADSL
[eh-dih-äss-**äll**]
Asymmetric Digital
Subscriber Line

etwa: **asymmetrische digitale Teilnehmeranschlussleitung**
Technik zur Übertragung von digitalen Daten, die auf herkömmlichen Kupfer-Telefonkabeln basiert und bei einer maximalen Entfernung von 5,5 Kilometern Datenübertragungsgeschwindigkeiten zwischen 1,5 und neun Megabit pro Sekunde (>mbps) ermöglicht, und zwar von der Netzvermittlungsstelle zum Teilnehmer. In umgekehrter Richtung, also vom Teilnehmer zur Netzvermittlungsstelle, beträgt die Datenübertragungsgeschwindigkeit nur 768 Kilobit pro Sekunde (>kbps) – daher die Bezeichnung "asymmetrisch". ADSL wird von der Deutschen Telekom in Pilotprojekten getestet; vgl. >T-DSL, >HDSL, >VDSL, >IDSL.

ADSL modem
[eh-dih-äss-**äll**
mohdämm]

ADSL-Modem
Modem (>modem), das die >ADSL-Technologie nutzt und im Gegensatz zu einem herkömmlichen Modem auf verschiedenen Frequenzbereichen senden und empfangen kann.

advanced query
[ədwahnßt kwiəri]

erweiterte Abfrage
Suchoption in Suchmaschinen (>search engine) für komplexe Abfragen, mit denen ein präziseres Suchergebnis als mit einfachen Abfragen (>simple query) erzielt werden kann; auch advanced search; vgl. >Boolean search.

ad view
[**äd** wjuh]
advertising view

"Seitenaufruf"
Einheit zur Messung der Anzahl der tatsächlichen Benutzer, die Sichtkontakt mit einem auf einer Web-Seite integrierten Werbebanner (>banner) haben; vgl. >page view.

ad view time
[**äd** wjuh taim]
advertising view time

"Seitenaufrufzeit"
Einheit zur Messung des Zeitraums, in der ein auf einer Web-Seite integriertes Werbebanner (>banner) für die Besucher sichtbar ist; vgl. >ad view.

AES
[eh-ih-**äss**]
Advanced Encryption Standard

Erweiterter Verschlüsselungsstandard
Ein in der Entwicklung befindliches Verschlüsselungsverfahren (>encryption) des NIST (National Institute of Standards and Technology) zur Nachrichtenkodierung mit einer Schlüssellänge von 128, 192 oder 256 Bit (>bit), dessen Designgrundsätze im Gegensatz zum >DES-Verfahren veröffentlicht sind und von der Kryptogemeinde im Internet öffentlich analysiert werden können.

AFAICT
as far as I can tell
(Akronym)

soweit ich sagen kann

AFAIK
as far as I know
(Akronym)

soweit/soviel ich weiß

AFK
away from keyboard
(Akronym)

nicht an der Tastatur
Absender ist kurz vom Computer abwesend.

AFS
[eh-äff-**äss**]
Andrew File System

Dateiensystem, das auf verschiedenen >UNIX-Plattformen implementiert ist: eine Sammlung von Protokollen (>protocol), die es ermöglichen, Dateien/Programme auf einem anderen Netzwerkcomputer so zu benutzen, als befänden sie sich auf der eigenen Anlage.

agent
[**eh**dschnt]

Agent
Bezeichnung für benutzergesteuerte Software-Routinen zur Informationsbeschaffung, -auswer-

tung und -zusammenfassung, zum Beispiel Suchagenten im Internet, die automatisch mehrere Suchmaschinen nach Ergebnissen absuchen; vgl. >robot, >search engine, >directory.

AGN
age, gender, nationality
(Akronym)

Alter, Geschlecht, Nationalität

AIFF
[eh-ai-äff-**äff**]
Audio Interchange File Format

"Audio-Austausch-Dateiformat"
Dateiformat für Sounddateien, das ursprünglich zur Verwendung in Computern von Apple und Silicon Graphics entwickelt wurde und inzwischen im Internet weit verbreitet ist; die Dateinamenerweiterung (>filename extension) ist meist .aif.

AIM
[ehm]
AOL Instant Messenger
(Produktname)

"AOL Internet-Telegramm"
Der auf das Internet ausgeweitete Service >Buddies Online von >AOL.

AIUI
as I understand it
(Akronym)

so, wie ich es verstehe

algorithm
[**äll**gəriðm]

Algorithmus
Methodisches, sich wiederholendes Rechenverfahren, das nach einem bestimmten Schema abläuft, z. B. die Funktion Suchen/Ersetzen in einem Textverarbeitungsprogramm.

alias
[**eh**liäss]

"Alias"
Einfach zu merkende Buchstaben- oder Ziffernfolge (Wort oder Nummer), die als Ansprechname für die oft komplizierte eigentliche technische Adress- oder Personenschreibweise (>address) steht. Die Software des Internet-Providers (>provider) stellt in der Regel die Möglichkeit zur Alias-Vergabe bereit. Z. B. könnte anstelle einer langen Ziffernfolge der Name "Mustermann" in der Adresse stehen: "mustermann@t-online.de".

alpha
[állfə]

Alphaversion
Ausdruck zur Kennzeichnung einer Software im ersten Entwicklungsstadium, die vom Entwickler noch nicht freigegeben ist und für die die Herstellerfirma keine Garantie gewährt. Alphaversionen werden nur einer ausgesuchten Testgruppe zum Ausprobieren zur Verfügung gestellt. Aus deren Erfahrungen werden dann die Korrekturen an der Software durchgeführt; vgl. >beta.

alt
[olt]
alternative

"alternativ"
Bezeichnung für eine bestimmte Art von Newsgroups (>newsgroup) im >Usenet. Der Name soll andeuten, dass in diesen Newsgroups ungewöhnliche, mitunter bizarre und manchmal auch umstrittene Themen diskutiert werden.

AltaVista
[álltəwisstə]
(Produktname)

Populäre, schnelle WWW- (>World Wide Web) und >Usenet-Suchmaschine (>search engine). Erfasst ihren Datenbestand (>indexing) im Volltextmodus und liefert auch Suchergebnisse in Kooperation mit >RealNames. Eine weitere bekannte Suchmaschine ist z. B. >Lycos.

Amazon.com
[ämməson dott **komm**]
(Firmen-/Anbieter-name)

Weltweit größter Internet-Buchhändler, der neben Büchern inzwischen auch Musikträger und Videos im Sortiment hat und seit 1998 auch in Deutschland und England eine Web-Site (>site) betreibt.

America Online
[əmärikə onlain]
(Firmen-/Anbieter-name)

>AOL.

AmiTCP
[ämitihßihpih]
(Produktname)

Amiga-Variante des Internet-Protokolls (>TCP, >IP), die Amiga-Computer für den Internet-Zugang benötigen.

analogue
[änəlog]

analog, gleichartig, ähnlich, übereinstimmend
1. Stufenlose Darstellung von Werten, Gegensatz von >digital. Beispiel: Analoguhr (kann Zwischenlagen darstellen) gegenüber Digitaluhr (stellt nur exakte Werte dar)

2. Umgangssprachlich auch Verwendung im übertragenen Sinn mit der Bedeutung "konfus" oder "kompliziert". Beispiel: "Das ist zu analog für mich!".

analogue signals
[**än**əlog **ß**ignəls]

analoge Signale
Wahrnehmbare physikalische Phänomene, z. B. eine Schallwelle.

anchor
[**än**kə]

"Anker"
Verweisziele, die in einem WWW-Dokument (>World Wide Web, >document) eingebettet sind. Der Anchor wird in >HTML mit "a" angekündigt und kann zum Springen innerhalb einer Seite benutzt werden. Er wird aber auch dazu verwendet, Dokumente miteinander zu verknüpfen, die auf vielen verschiedenen Servern (>server) liegen. "Anker" ermöglichen es dem User (>user), im gesamten Internet von einer Information zur anderen zu springen, ohne sich um die Adresse (>address) kümmern zu müssen; vgl. >href und >hyperlink.

Andreessen, Marc

Einer der Programmierer von >Netscape Navigator und Mitbegründer der Firma Netscape Communications Corporation.

animated GIF
[**än**imehtid **dschiff**]

"animiertes GIF"
Funktion des >GIF-Formats, die das Abspielen mehrerer Einzelbilder in einer definierten Reihenfolge ermöglicht und die vorwiegend in Werbebannern (>banner) Verwendung findet.

animation
[**än**i**meh**schn]

Animation
Technik der Erzeugung von bewegten oder belebten Bildern in zwei- oder dreidimensionaler Darstellung.

annotations
[**än**nə**teh**schns]

Anmerkungen
Persönliche Textbotschaften, die einem lokalen WWW-Dokument (>World Wide Web, >document) hinzugefügt werden können, wenn die Seite oder auch der eigene Browser (>browser) es zulässt.

announcement service
[ənaunßmənt Böhwiss]

Anmeldedienst
Professioneller Anmeldedienst bei den verschiedensten Suchdiensten, der für seine Tätigkeit Geld verlangt. Damit eine Web-Site (>site) möglichst schnell nach dem Launch (>launch) bei Suchmaschinen (>search engine, >directory) gelistet wird, bieten die meisten Suchdienste die Möglichkeit, sich auf ihrer Site zum Indexing (>indexing) anzumelden. Dadurch wird erreicht, dass die jeweilige Software (>robot, >spider) die betreffende Internet-Adresse (>URL) früher listet als durch unbeeinflusstes Indexing. Um in der Datenbank der Suchmaschinen präsent zu sein und in den oberen Rängen der Trefferanzeigen aufzutauchen, ist eine Anmeldung in regelmäßigen Abständen nötig. Dafür sorgt ein Announcement Service. Viele geben eine Erfolgsgarantie, wodurch der Eindruck entsteht, dass die Indexing-Tätigkeit der Robots manipulierbar sei.

anonymous FTP
[ənoniməss eff-tih-**pih**]

"anonymes FTP"
Es gibt sehr viele FTP-Server (>FTP server) im Internet, die für jedermann zugänglich sind und von deren öffentlichen Verzeichnissen man kostenlos und ohne Zugangsberechtigung Dateien herunterladen (>download) kann. Man benötigt entweder gar kein Passwort (>password) oder es genügt die Angabe der eigenen E-Mail-Adresse (>e-mail, >address) bzw. die Angabe "anonymous", um Zugang zum Server zu erhalten.

ANSI
[**änn**ßi]
American National
Standards Institute

1. Standardbildschirmoberfläche von DOS-basierten Terminal-Programmen (>terminal)

2. "Amerikanisches Institut für nationale Standards": amerikanische Organisation, die Standards für viele Bereiche festsetzt, vergleichbar mit dem deutschen DIN-System.

answer mode
[**ahn**ßə mohd]

Empfangsmodus
Betriebsart, in der sich ein empfangendes Modem (>modem) befindet. Gegensatz: Sendemodus (>originate mode).

anti-virus
[ännti-wairəss]

Antivirenprogramm
Programm, das den Computer bzw. Datenträger nach Viren (>virus) durchsucht und sie vernichtet bzw. verhindert, dass Viren den Computer schädigen können.

anycast
[ännikahßt]

Adressierungsart des >IPng, bei dem ein >IP-Paket an mehrere Empfängeradressen adressiert wird. Abgesendet wird jedoch nur an diejenige Empfängeradresse, die der Senderadresse am nächsten ist; vgl. >multicast.

AOL
[eh-oh-**äll**]
America Online
*(Firmen-/Anbieter-
name)*

Kommerzieller Internet-Provider (>provider) mit Internet-Zugang in Nordamerika, Australien, Asien und Europa; in Deutschland in Kooperation mit dem Medienkonzern Bertelsmann. Weltweit mehrere Millionen Mitglieder.

Apache
[əpättschi]
"a patchy server"
(Produktname)

"ein zusammengeflickter Server"
Web-Server (>server), der aus dem >NCSA-Web-Server V1.3 der Universität von Illinois in Urbana-Champaign hervorgegangen ist. Nachfolger des NCSA-Web-Servers als führender Server im Internet. Die Apache-Web-Server-Software, die man als Freeware (>freeware) bekommt, ist weltweit eine der meistverwendeten Server-Softwares.

APC
[eh-pih-**ßih**]
Association for
Progressive Computing

Vereinigung für fortschrittliches Computing
Internationaler Zusammenschluss weltweit operierender Netze (>network) aus den Bereichen Frieden, Ökologie und Politik, der aus dem PeaceNet, EcoNet und ConflictNet hervorgegangen ist.

AppleLink
[äppl-linck]
*(Firmen-/Anbieter-
name)*

Kommerzieller Online-Dienst (>on-line) für Apple-Computerbenutzer.

applet
[äpplitt]

Name für kleine Programme/Anwendungen (>application), die in der Programmiersprache >Java geschrieben sind. Ein Java-Applet könnte z. B. eine kleine Animation in einer Web-Seite (>World Wide Web) sein; vgl. >servlet.

AppleTalk
[**äppl** tohk]

Apple's >LAN-Software: das Netzwerk-Protokoll (>protocol) der Firma Apple ermöglicht es Apple-Computern, ihre Ressourcen gemeinsam zu nutzen.

application
[äppli**keh**schn]

Applikation
Anwendung, Programm, Software.

arc
[ahk]
archive

"arc" ist die Dateiendung (>filename extension) für komprimierte Dateien, die mit dem Packprogramm PKARC oder damit kompatiblen Programmen erzeugt wurden. Diese Programme sind zwar schon etwas angejahrt, aber mit ihnen erzeugte Dateien findet man noch im Internet.

Archie
[**ah**tschi]
(Produktname)

Suchmaschine (>search engine), die nach bestimmten Dateien auf >anonymous FTP-Servern sucht. Man gibt in Archie ein Stichwort ein und erhält daraufhin eine Liste von >FTP-Seiten, von denen ausgehend man die gesuchte Datei herunterladen (>download) kann; vgl. >Prospero.

archive
[**ah**kaiw]

Archiv
Datei, die komprimierte Dateien (eine oder mehrere) enthält, um Speicherplatz zu sparen und teure Download-Zeiten (>download) so kurz wie möglich zu halten. Archivdateien haben entsprechend dem benutzten Packprogramm Endungen wie .lha, .zip, .arc, .zoo, .tar; vgl. >filename extension.

ARP
[eh-ah-**pih**]
Address Resolution Protocol

Adressauflösungsprotokoll
Protokoll (>protocol) zur Konvertierung von Internet-Adressen (>IP address) in Ethernet-Adressen (>Ethernet), das vorwiegend bei Macintosh-Rechnern eingesetzt wird.

ARPA
[**ah**pə]
Advanced Research Projects Agency

Dem US-Verteidigungsministerium nahe stehende Behörde, die in den 60er- und 70er-Jahren den Vorläufer des Internets entwickelte: das ARPAnet. Das damalige Ziel war, ein Computerkommunikationsnetzwerk zu entwickeln, über das Militärforscher ihre Daten austauschen konnten und das auch in einem Nuklearkrieg nicht zerstört werden würde.

ARQ
[eh-ah-**kjuh**]
Automatic Repeat
Request

Ein auf Fehler bei der Datenübertragung prüfendes Protokoll (>protocol), das von Modems (>modem) der Firma Miracom verwendet wird.

article
[**ah**tikl]

Artikel
Bezeichnung für eine Nachricht an eine Newsgroup (>newsgroup) im >Usenet.

ASAP
as soon as possible
(Akronym)

so schnell/bald wie möglich

ASCII
[**äss**ki]
American Standard
Code for Information
Interchange

Code, der von praktisch jedem Computerhersteller unterstützt wird, um Buchstaben, Zahlen und Sonderzeichen darzustellen. Dateien, die ausschließlich im ASCII-Textformat erzeugt wurden, enthalten keinerlei Gestaltung und/oder Schriftarten, aber sie können von jedem Computer gelesen werden.

ASCII art
[**äss**ki aht]

ASCII-Kunst
Grafik oder Zeichnung, die ausschließlich aus >ASCII-Zeichen zusammengesetzt ist. Hauptsächlich vorkommend als Bestandteil langer und überladener Signaturen (>signature) im >Usenet.

ASL
age, sex, language
(Akronym)

Alter, Geschlecht, Sprache

ASP
[eh-äss-**pih**]
1. Active Server Page
2. Application Service
Provider

1. "Aktive Server-Seite"
>HTML-Seite, die eine oder mehrere Skripts (>script) enthält, die auf dem Server (>server) ausgeführt werden und dort beispielsweise eine Datenbankabfrage starten, bevor die Seite an den anfordernden Rechner geschickt wird; vgl. >CGI.

2. "Applikations-Service-Provider"
Firma, die via Internet den Usern Zugriff auf Applikationen ermöglicht.

assigned numbers
[əßaind nambəs]

zugewiesene Nummern
Nummern, die den Elementen der im Internet benutzten Protokolle (>protocol) zugeteilt wer-

den von der "Internet Assigned Numbers Authority" (>IANA). Diese Organisation hat es sich zur Aufgabe gemacht, Doppelungen auszuschließen, und führt auch eine entsprechende aktuelle Liste der von ihr zugeteilten Nummern.

asterisk
[äßtərißk]
Zeichen *

Asteriskus, Sternchen
Zeichen, das z. B. in Suchanfragen als Platzhalter stellvertretend für einen oder mehrere Buchstaben eingegeben wird. Die Suchanfrage "*alt" findet Wörter wie "Halt", "kalt", "uralt" etc. Das Sternchen wird auch als >wildcard bezeichnet.

asynchronous
[ehßinkrənəss]

asynchron
Form der Datenübertragung, bei der Daten in unregelmäßigen zeitlichen Intervallen gesendet werden. Das Gegenteil geschieht beim synchronen Übertragungsmodus (>synchronous); vgl. >ATM.

AT command set
[eh-**tih** kəmahnd ßett]
Attention command set

"Attention"-Befehlssatz
"Attention" ist eine Befehlssprache für Modems (>modem), die von der Firma >Hayes entwickelt wurde und zum Industriestandard geworden ist.

ATM
[eh-tih-**ämm**]
1. Asynchronous
Transfer Mode
2. at the moment
(Akronym)

1. asynchrones Übermittlungsverfahren
Sehr schnelles paketorientiertes, asynchrones (>asynchronous) Datenübermittlungsverfahren für Hochgeschwindigkeitsnetze wie Kabel (>cable), Glasfaser (>fiberglass cable) und Breitband-ISDN (>ISDN), das die Übertragung großer Datenmengen in Echtzeit (>realtime) ermöglicht; in der Regel beträgt die Bandbreite 155 Megabit pro Sekunde.

2. im Augenblick.

ATP
[eh-tih-**pih**]
Adaptive Tolerant
Protocol

"Anpassungsfähiges, tolerantes Protokoll"
Protokoll (>protocol), das unterschiedliche Modemstandards (>modem) integriert.

attachment
[ət**ätt**schmənt]

Anlage
Bezeichnung für Dateien, die UUencodiert (>UUencode), nach dem >MIME-Standard oder

in anderen Kodierungen als Teil einer E-Mail (>e-mail) verschickt werden.

automagically
[ohtəmädschickli]
(Kunstwort)

Hacker-Slang; Kunstwort aus "automatic" und "magic", das besagt, dass etwas zwar automatisch geschieht, aber auf eine Weise, die einem magisch vorkommen mag. Das Wort wird gerne gebraucht, wenn man sich nicht die Mühe machen will oder kann, etwas genauer zu erklären.

autoresponder
[ohtərißponndə]

"automatischer Beantworter"
Bezeichnung für die Fähigkeit eines E-Mail-Programmes (>e-mail) oder E-Mail-Servers (>server), bei Eintreffen von elektronischen Nachrichten automatisch eine vorher formulierte Antwort abzusenden.

avatar
[äwətah]

Avatar
Bezeichnung für die häufig dreidimensionale Darstellung von Personen, vorzugsweise in grafischen Chats (>chat). Ursprünglich sind Avatare im Hinduismus Verkörperungen eines Gottes auf Erden.

AVI
[eh-wih-**ai**]
Audio Video Interleave

"Audio-Video-Verflechtung"
Technologie der Firma Microsoft, die die gemeinsame Speicherung von Bild und Ton in einer Datei erlaubt und vor allem in Videosequenzen im Internet Anwendung findet; vgl. >multimedia.

b2b auction
[bih-tuh-**bih** ohckschn]
business-to-business-auction

"Geschäft-zu-Geschäft-Auktion"
Internet-Auktion, bei der kommerzielle Ware unter kommerziellen Mitbietern versteigert wird, beispielsweise Auktionen eines Autoherstellers, an der Kfz-Händler teilnehmen können; vgl. >b2p auction, >p2p auction.

b2p auction
[bih-tuh-**pih** ohckschn]
business-to-person-auction

"Geschäft-zu-Person-Auktion"
Internet-Auktion, bei der kommerzielle Ware, meist Auslaufmodelle oder leicht fehlerhafte Ware, unter Privatpersonen versteigert wird, beispielsweise über ricardo.de; vgl. >p2p auction, >b2b auction.

B4
be four = before
(Akronym)

vorher, bevor

Baby ChaCha
[**behbi tschah**tschah]

>Dancing Baby.

backbone
[**bäck**bohn]

"Rückgrat"
Ein Zentralrechner oder eine Gruppe von Rechnern mit hoher Datenübertragungskapazität, an den bzw. an die kleinere Rechner angeschlossen sind. Das amerikanische >NSFNET z. B. war bis 1995 eines der Haupt-"Backbones" des Internets; vgl. >BBR, >fiberglass cable.

backslash
[**bäck**ßläsch]

Rückwärts-Schrägstrich auf der Tastatur; wird erzeugt durch die Tastenkombination [Alt Gr] mit [ß] oder [Alt] mit [92] auf dem Ziffernblock (NUM eingeschaltet). Auf amerikanischen Tastaturen hat der Backslash eine eigene Taste.

BAK
back at keyboard
(Akronym)

zurück an der Tastatur, "Bin wieder da!"

bandwidth
[**bänd**widθ]

Bandbreite
1. Bezeichnet technisch die in Hertz (>hertz) bzw. Bit/s (>bits per second) gemessene Differenz zwischen der jeweils höchstmöglichen und niedrigstmöglichen Frequenz bei einer Datenübertragung; vgl. >data throughput, >data traffic.

2. Üblicherweise benutzt, um das "Verkehrsaufkommen" in einer bestimmten Newsgroup (>newsgroup) oder Konferenz (>conference) zu beschreiben.

3. Umgangssprachlich zur Bezeichnung der geistigen Aufnahmefähigkeit eines Users (>user).

bang
[**bäng**]

Aus der >UNIX-Tradition stammende, mittlerweile verbreitete Bezeichnung für das Ausrufezeichen. Die Buchstabierung des Wortes "foo!" lautet z. B.: "Eff oh oh bang"; vgl. >bang path.

bang path
[**bäng** pahθ]

Steht für ein altes >UUCP-E-Mail-Adressiersystem (>e-mail), in dem jede Etappe, die eine Botschaft nehmen sollte, durch ein Ausrufezeichen (>bang) abgegrenzt werden musste.

banner
[**bänn**ə]

Banner
Bezeichnung für Mitteilungen, die bei der Ausführung bestimmter Programm-Operationen auf dem Bildschirm erscheinen und entsprechende Informationen vermitteln. Bestimmte Programme blenden beim Start z. B. ein Login-Banner (>login) ein, das den Status der Einwahl anzeigt. Mittlerweile wird die Bezeichnung vor allem für die Werbeflächen auf Web-Seiten (>World Wide Web) benutzt; vgl. >ad click, >ad view, >Ad Server, >animated GIF.

baseband
[**behß**bännd]

"Basisband"
Standardisierte digitale Signaltechnik (>digital) im Halbduplexverfahren (>half duplex), die in >Ethernet->LANs Verwendung findet.

batch
[**bättsch**]

"Stapel"
1. Allgemein: Liste von Aufgaben, die in einer vorgegebenen Reihenfolge abgearbeitet werden müssen.

2. Methode, mehrere Dateien vor dem Herunterladen (>download) zusammenzufassen.

batchFTP
[**bättsch** äff-tih-**pih**]

Bequeme Möglichkeit, Dateien von verschiedenen >FTP-Seiten zusammenzufassen, um sie dann von einem einzigen Internet-Service-Provider (>provider) per Download (>download) abzuholen.

baud
[**bohd**]

Baud
Maßeinheit für die Schrittgeschwindigkeit bei der Übertragung von Daten per Modem (>modem), >ISDN-Karte, Netzwerkkabel etc. Übertragungsrate und Schrittgeschwindigkeit sind gleich, wenn pro Übertragungsschritt ein Bit (>bit) übertragen wird. Pro Schritt können aber auch mehrere Bits übertragen werden. In diesem Fall hat man logischerweise eine höhere

Übertragungsgeschwindigkeit. Abk.: Bd; vgl.
>data throughput.
Historisch bezeichnete Baud ursprünglich eine
Einheit der Signalgeschwindigkeit beim Tele-
grafieren. Der Begriff wurde 1927 eingeführt
und nach dem französischen Ingenieur J. M. E.
Baudot (1845–1903) benannt, der den ersten
erfolgreichen Fernschreiber konstruierte.

BBL
(I'll) be back later
(Akronym)

(Ich) bin gleich zurück, komme bald wieder.

BBR
[bih-bih-**ah**]
Backbone Ring

Zusammenschluss von Servern (>server), auf
denen die öffentlichen Nachrichten des "Echos"
(>echo) im >Fidonet ausgetauscht werden.

BBS
[bih-bih-**äss**]
Bulletin Board System

etwa: **Schwarzes-Brett-System**
Ein elektronisches schwarzes Brett, wo man
Nachrichten, aber auch Dateien ablegen oder
abholen kann. Eine synonyme Bezeichnung ist
Mailbox (>mailbox). Einige dieser Online-
Dienste (>on-line) stehen für sich allein, wie
z. B. die Support-Boxen verschiedener Com-
puter- und Zubehöranbieter. Andere sind privat
und werden hobbymäßig betrieben, gehören
jedoch oft einem übergeordneten Netz an wie
dem >Fidonet und können so weltweit operieren.
Einige von ihnen haben inzwischen Zugang zum
Internet und bieten ihren Usern (>user) E-Mail
(>e-mail) oder sogar das >Usenet. Manche
haben den Sprung zum "richtigen" Internet-Provider (>provider) geschafft und bieten einen
vollwertigen Internet-Zugang an.

BCC
[bih-ßih-**ßih**]
Blind Carbon Copy

"Blinder Kohlepapierdurchschlag"
Kopie einer E-Mail (>e-mail), die an für den
Hauptadressaten nicht erkennbare weitere Empfänger geht. Je nach verwendetem E-Mail-Programm ist ein BCC oft nur durch eine Angabe
im Adressfeld erkennbar; vgl. >CC.

BCNU
be seeing you
(Akronym)

wir seh'n uns; man sieht sich

beam
[bihm]

"strahlen", "senden"
Von: "Beam me up, Scotty!", Spruch aus der
Kultserie "Star Trek"; im Internet-Kontext
Bezeichnung für das elektronische Übertragen
einer Dateikopie, z. B.: "Beam me a copy!" –
"Schick mir eine Kopie!".

bearer channel
[bährə tschännl]

B-Kanal
Träger- beziehungsweise Nutzkanal im >ISDN
zur Übertragung von Nutzdaten. Die Datenübertragungsrate beträgt 64 Kilobit pro Sekunde
(>kbps); vgl. >D-Kanal.

Bell 103
[bäll one-oh-θrih]

Amerikanischer Standard der Firma AT&T für
Modems (>modem) mit einer maximalen Über-
tragungsgeschwindigkeit von 300 Bits pro
Sekunde (>bits per second); vgl. >V.21.

Bell 201 B
[bäll tuh-oh-wann bih]

Amerikanischer Standard der Firma AT&T für
Modems (>modem) mit einer maximalen Über-
tragungsgeschwindigkeit von 2400 Bits pro
Sekunde (>bits per second).

Bell 212 A
[bäll tuh-wann-tuh eh]

Amerikanischer Standard der Firma AT&T für
Modems (>modem) mit einer maximalen Über-
tragungsgeschwindigkeit von 1200 Bits pro
Sekunde (>bits per second); vgl. >V.22.

BeOS
[bih-oh-**äss**]
(Produktname)

Betriebssystem (>OS) der US-Firma Be, Inc.,
das speziell für Multimedia-Anwendungen
(>multimedia) und Internet-Nutzung entwickelt
wurde. Dabei zeichnet sich BeOS nach Herstel-
lerangaben durch seine große Stabilität und Pro-
zessor-Performance (>processor, >performance)
aus, sogar wenn Audio-, Video- und Bildbear-
beitung bei gleichzeitiger Nutzung von Internet-
Software erfolgt.

**Berners-Lee,
Timothy**

Computerwissenschaftler am Europäischen
Labor für Teilchenphysik >CERN und Miter-
finder des >World Wide Web.

beta
[**bih**tə]

Betaversion
Ausdruck zur Kennzeichnung einer Software im
letzten Entwicklungsstadium, vom Entwickler

noch nicht endgültig freigegeben und ohne Garantiegewährung durch die Herstellerfirma. Beta-Testversionen stehen häufig im Internet zum Herunterladen (>download) bereit, sodass Interessierte sie ausprobieren können; aus deren Erfahrungen wird dann die letzte Korrektur vor der Freigabe durchgeführt.

bigot
[biggət]

Fanatiker
Im Hacker-Slang der fanatische Anhänger eines bestimmten Produkts, sei es eines Computertyps, einer Software, eines Betriebssystems o. Ä. Er verteidigt und forciert das Produkt seiner Wahl mit blindem Eifer.

binary
[bainəri]

binär
Darstellung von Größen durch verschiedene Kombinationen nur zweier unterschiedlicher Zustände ("1" bzw. "0", "Ja" bzw. "Nein", "On" bzw. "Off"), das Grundprinzip jeglicher elektronischer Datenverarbeitung; vgl. >binary file.

binary file
[bainəri fail]

Binärdatei
Datei, in der es über druckbare Zeichen (>ASCII) hinaus noch weitere, nicht durch den Drucker darstellbare Zeichen gibt, wie alle Codes, z. B. in Textverarbeitungsdateien (Formatierungscodes), Programmdateien, komprimierten Dateien, Bilddateien, Klangdateien.

BinHex
[binnhäckß]
Binary Hexadecimal
(Produktname)

Hauptsächlich in der Mac-Welt benutztes Programm, das binäre (>binary file) in >ASCII-Dateien konvertiert, um sie dann per E-Mail (>e-mail) über das Internet transferieren zu können. Konvertierte BinHex-Dateien haben die Extension (>filename extension) .hqx.

BION
believe it or not
(Akronym)

ob du es glaubst oder nicht

bionet
[baiohnätt]

Bio-Netz
Interessengruppe im Internet, die sich hauptsächlich mit biologischen und ökologischen Themen befasst; vgl. >newsgroup.

bis
französisch [bih];
englisch [biss, *auch*
bih-ai-**äss**]

Technischer Ausdruck aus dem Französischen
(le bis = die Wiederholung). Man findet das
Wort in Zusammenhang mit Modemstandards
(>modem). Es bedeutet, dass ein bestimmter
Standard alle ihm vorhergehenden mit einschließt.

bit
[bitt]
binary digit

Bit (binäre Ziffer)
Kleinstmögliche Speichereinheit in der Daten-
verarbeitungstechnik. Ein Bit kann den Wert 0
oder 1 haben; vgl. >binary, >byte.

BITnet
[**bitt**nätt]
"Because It's Time"-
Network
*(Firmen-/Anbieter-
name)*

In Amerika betriebenes limitiertes Netzwerk im
Internet, eigens für Universitäten und For-
schungsstätten eingerichtet, das nur akademischen Zwecken dienen soll.

bits per second
[**bittß** pöh **ßäck**ənd]

Bits pro Sekunde
Maßeinheit für die Datenübertragungsgeschwindigkeit. Abk.: bps, Bit/s; vgl. >bit, >data traffic,
>data throughput.

blinking
[**blink**ing]

"blinken", "zwinkern"
Benutzung eines Offline-Readers (>off-line
reader) für den Zugang zu einem Online-System
(>on-line). Man geht in das Online-System nur
kurz hinein und sofort wieder heraus, um Telefongebühren zu sparen.

block
[block]

Block
Datenübertragungsblock: ein immer dieselbe
Anzahl von Zeichen enthaltendes Paket bei der
Datenübertragung, z. B. ein 64-Bit-Block.

blue bomb
[bluh **bomm**]

blaue Bombe
Per E-Mail (>e-mail) ankommendes Datenpaket,
welches das Betriebssystem (>OS) des empfan-
genden Rechners nicht verarbeiten kann, als
Folge dessen dieser abstürzt. Bis auf einen
System-Neustart hält sich der Schaden des
betroffenen Rechners meist in Grenzen. Der
Name entstand in Anlehnung an die blaue Bild-

schirmoberfläche, die bei einem Systemabsturz zu sehen ist. Blaue Bomben werden gerne von Teilnehmern in einem >IRC als böser Abschiedsgruß und von Internet-Nutzern, die in einem Multiplayer-Spiel über das Netz gegen andere verloren haben, versendet. Einige Provider (>provider) filtern sie im Interesse ihrer Mitglieder aus.

Blue Ribbon
[bluh **ribb**ən]

"Blaue Schleife"
Organisation, die sich gegen Kontrolle und Zensur im Netz engagiert und ihren Ursprung in den USA hat, wo sie als Antwort auf einen – mittlerweile zurückgezogenen – Neuentwurf des amerikanischen Kommunikationsgesetzes ("Communications Decency Act") entstand.

Bluetooth
[**bluh**tuhθ]

"Blauzahn"
Ein in der Entwicklung befindlicher Standard, der die drahtlose Kommunikation zwischen den mobilen Geräten, wie Mobiltelefon, Laptop und Kopfhörer, vereinheitlichen und vereinfachen soll. Bluetooth basiert auf einer Funktechnologie, die in der 2,45 Gigahertz-Region arbeitet, Reichweiten bis zu zehn Meter zwischen den Geräten abdeckt, Übertragungsraten von bis zu 720 Kilobit pro Sekunde (>kbps) ermöglicht und sowohl Daten- als auch Sprachübertragung unterstützt. Der Bluetooth-Interessengruppe gehören einige hundert Firmen wie Nokia, Ericsson, IBM, Intel und Toshiba an.

body
[**boddi**]

"Körper"
Der Teil einer E-Mail (>e-mail) oder auch WWW-Seite (>World Wide Web), der die eigentliche Nachricht oder den Text enthält, im Gegensatz z. B. zum "Header" (>header).

BOL
[bih-oh-**äll**]
Bertelsmann Online
(Firmen-/Anbietername)

Internet-Buchhandel des Medienkonzerns Bertelsmann, der in Deutschland Anfang 1999 seine virtuellen Pforten geöffnet hat.

bomb
[bomm]

Bombe
Bezeichnung für Programme, die ein Computersystem beschädigen, meist indem sie die Festplatten manipulieren oder sogar löschen; vgl. >virus.

bookmark
[**buck**mahk]

Lesezeichen
Methode, interessante WWW-Seiten (>World Wide Web) zu markieren, wenn man sie besucht, um sie später bei Bedarf leicht wieder zu finden; alle modernen Browser (>browser) bieten diese Möglichkeit.

Boolean search
[**buhli**ənn **ß**öhtsch]

Boole'sche Suche
Methode, in einer Datenbank (>database) Informationen zu suchen und zu filtern, indem man bestimmte Operatoren wie z. B. "and/und" oder "or/oder" benutzt. Alle Suchmaschinen (>search engine) wie >AltaVista, >Lycos etc. funktionieren nach diesem Prinzip.

Boole, George

Englischer Mathematiker und Logiker (1815 – 1864), arbeitete über die Beziehung zwischen Mathematik und Logik. Seine Erkenntnisse bilden die logische Grundlage für die Struktur heutiger Datenbankabfragen; vgl. >Boolean search.

bot
[bott]
robot

"Roboter", "Automat"
Wortbestandteil, der einen Automatismus bezeichnet: Ein "answer bot" reagiert z. B. automatisch auf alle Nachrichten, die in der Mailbox (>mailbox) ankommen; er informiert etwa darüber, dass der Adressat der E-Mail (>e-mail) gerade in Urlaub ist.
Die entsprechende Software führt die Aktion auf dem Internet-Server (>server) ohne weiteres eigenes Zutun immer wieder aus.

BOT
back on topic
(Akronym)

zurück zum Thema

bounce
[baunß]

prallen, zurückprallen
Was mit einer E-Mail (>e-mail) passiert, die

wegen eines Datenübertragungsfehlers (z. B. durch fehlerhafte Adressierung) den Empfänger nicht erreichen kann und zurück an den Absender geht. Der Begleittext des E-Mail-Programms informiert den Absender, dass die Nachricht vom >Daemon "gebounced" wurde.

bozo
[**bohz**oh]

Bozo
Umgangssprachliche Bezeichnung für eine dumme oder alberne Person – in Anlehnung an den in Amerika bekannten Clown "Bozo" –, die bevorzugt in Newsgroups (>newsgroup) verwendet wird.

bps
[bih-pih-**äss**]
bits per second

>bits per second.

BRB
[I'll] be right back
(Akronym)

(Ich) bin gleich wieder da.

bridge
[bridsch]

"Brücke", "Überbrückung"
Gerät, das zwei oder mehrere physikalische Netzwerke miteinander verbindet und Datenpakete zwischen ihnen verschickt.

broadband
[**brohd**bännd]

Breitband
Hochgeschwindigkeits- und Hochleistungs-Übertragungstechnik, mit der die integrierte/gleichzeitige Übertragung von vielen verschiedenen Arten von Signalen (Stimme, Daten, Bilder etc.) ermöglicht wird.

broadcast
[**brohd**kahßt]

"Sendung"
Verteilmethode für elektronische Nachrichten, die an alle an das Netz angeschlossenen Empfänger gesendet werden. Sie beruht nicht auf der Anforderung von Paketen (>packet), sondern auf einem kontinuierlichen Datenstrom, der in das Netz gesendet wird.

brownout
[**braun**aut]

Spannungsabfall
Immer alltäglicher werdendes Phänomen: In einer Art Kettenreaktion werden gleich mehrere

Server (>server) im Netz überlastet, wenn sie die Netzkommunikation aufrechterhalten wollen, nachdem ein anderer Server einen Zusammenbruch (>crash) hatte.

browser
[brausə]

"Stöberer"

Programm, das benutzt wird, um sich in einem Datensystem oder -netz zu bewegen und zurechtzufinden. Ein WWW-Browser (>World Wide Web) ermöglicht den Zugang zu und das Betrachten von grafischen Internet-Seiten (nicht aber deren Bearbeitung!). Die gebräuchlichsten Web-Browser sind >Netscape Navigator und Microsofts >Internet Explorer.

BSF
but seriously folks
(Akronym)

Nun aber mal im Ernst, Leute!
Spaß beiseite!

BTDT
been there done that
(Akronym)

etwa: Kenne ich schon! Habe ich schon!

BTSOOM
beat the shit out of me
(Akronym)

etwa: Schlag mich, ich weiß/kann es nicht!

BTW
by the way
(Akronym)

übrigens

BTX
deutsch [beh-teh-**ikß**];
englisch [bih-tih-**ekß**]
Bildschirmtext
(Produktname)

1980 gegründeter elektronischer Informationsdienst der Deutschen Bundespost, dessen Bedienung ursprünglich für Telefon-Zusatzeinrichtungen und spezielle Fernsehgeräte ausgelegt war. BTX wurde später in Datex-J umbenannt und wird seit 1995 als >T-Online bezeichnet. Das Basisangebot hingegen heißt auch heute noch BTX.

Buddies Online
[**badd**is on|ain]
(Kunstwort)

"Kumpels online"

Service bei >AOL, der bis zu zehn verschiedene Listen mit bis zu 50 vom User festgelegten AOL-

Namen verwaltet. Bei jedem Anmelden öffnet sich diese Liste und zeigt an, welche der eingetragenen AOL-"Freunde" gerade online (>on-line) sind.

buffer
[**baff**ə]

"Puffer", Zwischenspeicher
Speicherbereich, der als temporärer Datenspeicher während einer Arbeitssitzung dient.

bug
[**bag**]

"Wanze", Fehler, Störung
Fehler in Hard- oder Software, der ein Produkt zwar nicht völlig untauglich macht, aber zu lästigen Funktionsstörungen und Unannehmlichkeiten in der Anwendung führt. Das Aufspüren und Beseitigen von derartigen Fehlern in einem Programm wird als "debugging" bezeichnet.

bug fix
[**bag** fikß]

"Bug-Reparierer"
Software, die Bugs (>bug) beseitigt und oft im Internet zum Herunterladen (>download) bereitsteht.

buggy
[**baggi**]

fehlerhaft
Bezeichnung für eine schlechte Eigenschaft einer Software oder eines Browsers (>browser); vgl. >bug.

bulletin board system
[**bull**ətin bohd **ßi**ßtəm]

etwa: **Schwarzes-Brett-System**
>BBS.

burst rate
[**böhßt** reht]

"Berst-Rate"
>burst speed.

burst speed
[**böhßt** ßpihd]

"Berst-Geschwindigkeit"
Die höchstmögliche Geschwindigkeit, mit der ein bestimmtes Gerät oder ein Netzwerk (>network) Daten übertragen kann (to burst = bersten, platzen).

button
[**batt**n]

"Knopf", "Schalter", "Berührungsfeld"
Mit der Maus anklickbare Schaltfläche, oft im 3D-Design (>three-dimensional), zum Auslösen von Aktionen, wie z. B. "Abbrechen".

BWQ
Buzzword Quotient
(Akronym)

"Modewort-Quotient"
Prozentualer Anteil von Modewörtern (Schlag-
wörter, Signalwörter, In-Wörter) in einer Äußerung oder einem Dokument. Informell als ironischer Hinweis auf Wichtigtuerei, Angeberei oder
gar Schwindelei verwendet.

BYP
beg your pardon
(Akronym)

Entschuldigung! / Wie bitte?

bypass
[**bai**pahß]

Bypass, Umleitung
Bezeichnung für den Einsatz anderer Verbindungen zur Datenübertragung als der über die
lokalen Telefongesellschaften, beispielsweise
Satelliten (>satellite transmission) oder Funk-
netze.

byte
[bait]

Byte
Kunstwort aus ">bit" und "eight", also "acht
Bits", zur Bezeichnung einer Informationseinheit, die sich aus acht Bits zusammensetzt; wird
als Maß für die Größe eines Speichers benutzt.
Vgl. >kilobyte, >megabyte, >gigabyte.
Es gibt genau 256 (zwei hoch acht) Kombina-
tionsmöglichkeiten dieser acht Bits und genauso
viele >ASCII-Zeichen.

BZT
Bundesamt für Zu-
lassungen in der
Telekommunikation

Deutsche Behörde, die für die Zulassung von
Telekommunikationsgeräten wie Telefon und
Modem (>modem) zum Anschluss an das deutsche Fernsprechnetz zuständig ist; vgl. >dial
close.

cable
[**keh**bl]

Kabel
Übertragungsmedium aus mehreren Drähten
oder Glasfasern (>fiberglass cable) in einer
schützenden Hülle (z. B. ein serielles Kabel).

cable modem
[**keh**bl **moh**dämm]

Kabelmodem
Modem (>modem), das anstelle des Telefonnet-
zes das wesentlich leistungsfähigere Kabelnetz
zur Datenübertragung nutzt.

cache
[käsch]

Pufferspeicher, Cache
Temporärer Zwischenspeicher von Daten und
Befehlen zweier miteinander kommunizierender
Funktionseinheiten, die vom Befehlsprozessor
vermutlich in Kürze wieder benötigt werden;
auch cache memory. Man unterscheidet den so
genannten Prozessor-Cache (>processor), der
den Zugriff der Zentraleinheit auf den Arbeitsspeicher beschleunigt und den Disk-Cache, der
den Zugriff auf Datenträger beschleunigt.

cache explorer
[**käsch** ickßplohrə]

"Cache-Durchforster"
Zusatz-Software, die den in normalen Texteditо-
ren nur sehr kryptisch dargestellten Inhalt des
Browser-Cache (>browser, >cache) übersicht-
lich anzeigt. Die zuletzt aufgerufenen Web-Sites
(>site) können damit kostengünstig offline
(>off-line) durchgesehen werden.

Calendar Server
[**kälə**ndə ßöhwə]

etwa: **Kalender-Server**
Programm, das die Terminverwaltung über das
Internet sowohl von Gruppen und Abteilungen
als auch von ganzen Unternehmen weltweit
ermöglicht. Man benötigt die Software des
jeweiligen Betreibers; vgl. >server.

call back
[**kohl** bäck]

Rückruf
Rückrufverfahren, das eingesetzt wird, um Telefongebühren zu sparen und um kurzfristige bzw.
gesicherte Internet-Verbindungen aufzubauen.
Das Modem selbst ruft dabei nach "Aufforderung" des Anrufenden eine bestimmte, im
Modem (>modem) gespeicherte Nummer an.

call for votes
[**kohl** fə **wohtß**]

etwa: **Abstimmungsaufforderung**
Gehört zum Prozess der Bildung einer >Usenet-
Newsgroup (>newsgroup): Die Internet-Gemeinde wird aufgefordert abzustimmen, ob eine
neu vorgeschlagene Newsgroup zu einem
bestimmten Thema benötigt wird; Abk.: CFV.

cancel bot
[**kän**ßl bott]

"Löschroboter"
Programm, das anhand eines vorgegebenen Kri-
terienkatalogs unerwünschte Beiträge in Newsgroups (>newsgroup) aufspürt und diese löscht.

cancel robot
[**känßl roh**bott]

"Löschroboter"
>cancel bot.

CAPI
[**keh**pi]
Common Application
Programming Interface

Schnittstelle, über die eine Software, wie z. B.
Windows oder OS2, die >ISDN-Karte ansteuert.

CARL
[kahl]
Colorado Alliance of
Research Laboratories

"Verbund der Forschungslaboratorien von Colorado" – eine eindrucksvolle Datenbank (>data-
base) sowie ein Dokumentenbeschaffungsdienst.

carrier
[**kärri**ə]

Träger
Bei der analogen Datenübertragung (>analogue)
Träger- oder Tonfrequenz, auf die sich zwei
Modems (>modem) einigen, um Daten tauschen
zu können; dient den eigentlichen, zu übertragenden Daten (z. B. einer Datei) als Transport-
medium.

cascade
[käß**kehd**]

"Wasserfall"
Eine Art Kunstform, die normalerweise auf
>Usenet-Newsgroups (>newsgroup) beschränkt
ist. Es gibt sogar Gruppen, die sich dem "Cascading" regelrecht verschrieben haben. Es funktioniert so ähnlich wie ein Kettenbrief oder das
Lied "Ein Loch ist im Eimer": Man bezieht sich
auf eine frühere Nachricht und fügt etwas dort
Genanntem eine eigene Nachricht hinzu. Letztere wird vom Nächsten als Bezug verwendet,
während er seinerseits eine Nachricht obendrauf
setzt und so weiter, in einem "Wasserfall" von
Bezügen auf Bezüge auf Bezüge. Es sieht recht
witzig aus und benötigt, da es sich um tausende
von Nachrichten handeln kann, eine Menge
Bandbreite (>bandwidth). Empfehlung: Abstand
davon nehmen! Vgl. >quoting.

Cascading Style
Sheets
[käß**kehd**ing **ßtail**
schihtß]

"fortgesetzte Stilvorlagen"
>CSS.

CAVE
[kehw]
Cave Automatic Virtual
Environment

"Raum mit dreidimensionalen Bildprojektionen"
Raum, in dem eine dreidimensionale virtuelle
Welt (>virtual reality) durch die Projektion von
Bildern auf Boden und Wände vorgetäuscht wird.
Die Besucher dieses Raumes tragen in der Regel
so genannte stereoskopische Brillen (>stereo-
scopic glasses), deren Sensoren den leistungs-
fähigen Rechnern die Kopfbewegungen mitteilen.
Diese können so die Perspektive der projizierten
Bilder entsprechend abändern.

CC
[ßih-**ßih**]
Carbon Copy

"Kohlepapierdurchschlag", Kopie
Begriff aus der traditionellen papierbasierten
Bürokommunikation, der in die elektronische
Kommunikation übernommen wurde und in
E-Mails (>e-mail) dasselbe bedeutet wie auf
dem Papier: "Kopie an ...".

CCC
[ßih-ßih-**ßih**]
Chaos Computer Club

>Chaos Computer Club.

CCITT
[ßih-ßih-ai-tih-**tih**]
Comité Consultatif
International
Télégraphique et
Téléphonique

etwa: **International beratender Ausschuss für
den Telegrafen- und Fernsprechdienst**
Unterorganisation der UNO, die Normempfehlungen für die technischen Eigenschaften von
Kommunikations-Endgeräten gibt und international die Sende- und Empfangsfrequenzen fest-
legt. Wurde Anfang der 90er-Jahre umbenannt
in "International Telecommunications Union"
(>ITU-T).

CDF
[ßih-dih-**äff**]
Channel Definition
Format
(Produktname)

Auf >XML basierende Formatdefinition der
Firma Microsoft zur Integration von Push-
Technologien (>push technology) in Web-Sites
(>site).

CD-I
[ßih-dih-**ai**]
Compact Disc
Interactive

"Interaktiver optischer Speicher"
Von den Firmen Philips und Sony im Jahre 1986
geschaffene Norm für optische CDs, die im so
genannten >Green Book definiert ist. Das Haupt-
einsatzgebiet der CD-I sind Multimedia-Anwendungen (>multimedia). Eine CD-I lässt sich
allerdings nicht vom CD-ROM-Laufwerk eines

herkömmlichen PCs lesen, sondern erfordert ein spezielles Abspielgerät, das sich direkt an einen Fernseher anschließen lässt.

CD-ROM
[ßih-dih-**romm**]
Compact Disc
Read-Only Memory

"Nur lesbarer optischer Speicher"
Optisches, nur lesbares digitales Speichermedium, das 1985 als Peripheriegerät (>peripheral devices) für den PC eingeführt wurde und heute zur Standardausstattung jedes PCs gehört. Die Speicherkapazität beträgt 650 Megabyte (>megabyte), die Standard-Lesegeschwindigkeit von 150 Kilobyte (>kilobyte) pro Sekunde wird heute um ein x-faches überschritten. Immer mehr Anwendungen auf CD-ROM wie digitale Lexika (>digital) lassen sich übers Internet aktualisieren.

cellular phone
[**ßäll**julə **fohn**]

Mobiltelefon, Handy
Kurz "cellphone"; meist im amerikanischen Englisch verwendete Bezeichnung für >mobile (phone).

CEPT
[ßäppt]
Conférence Euro-
péenne des Administra-
tions des Postes et des
Télécommunications

Europäische Konferenz zur Verwaltung von Post und Telekommunikation
Konferenz der Fernmeldeverwaltungen, die den älteren Darstellungsstandard entwickelt hat, der von BTX/T-Online (>BTX, >T-Online), dem Online-Dienst der Telekom, verwendet wird; vgl. >KIT.

CERN
[ßöhn]
Conseil Européen pour
la Recherche Nucléaire

Europäisches Labor für Teilchenphysik
Das europäische Kernforschungszentrum mit Sitz in Genf, der Geburtsort des >World Wide Web, das 1990 von Robert Cailliau und Tim Berners-Lee (>Berners-Lee, Timothy) dort entwickelt wurde.

Certificate Authority
[ßətiffikeht ohθorrəti]

Zertifizierungsstelle
>Trust Center.

certification
[ßətiffikehschn]

Zertifikat
Bescheinigung einer unabhängigen Institution, dass der Besitzer des Zertifikats ihr gegenüber seine Identität glaubhaft gemacht hat. Die heute

gebräuchlichen Zertifikate beruhen auf so genannten asymmetrischen Verschlüsselungsverfahren; vgl. >digital signature, >Trust Center.

CFV
[ßih-äff-**wih**]
Call For Votes

etwa: **Abstimmungsaufforderung**
>call for votes.

CGI
[ßih-dschih-**ai**]
Common Gateway
Interface

Standardisierte Programmierschnittstelle zum Datenaustausch zwischen Browser (>browser) und Programmen auf dem Web-Server (>World Wide Web, >server). Überwiegend sind diese Programme in >PERL geschrieben und dienen hauptsächlich der Auswertung von >HTML-Formularen; vgl. >script, >counter.

cgi-bin
[ßih-dschih-**ai** binn]

Verzeichnisname für >CGI-Erweiterungen von WWW-Servern (>World Wide Web, >server).

channel
[**tschänn**l]

1. Kanal
Eine Art abonnierte Web-Site (>site), die meist von der Browseroberfläche (>browser) aus anklickbar ist. Sie aktualisiert sich automatisch in vom Abonnenten im Browser eingestellten Intervallen, z. B. bei jedem Internet-Zugriff. Solche Channels können z. B. Nachrichten- und Informations-Sites sein. Sie werden u. a. angeboten von Fernsehsendern, Magazinen ("Stern-Channel", "Spiegel Online"), großen Software-Häusern etc.

2. Chatraum im Internet
Separater Chatbereich (>chat), d. h. Diskussionsgruppe im >IRC.

channel hopping
[**tschänn**l hopping]

"Kanalhüpfen", "Zappen"
Wiederholtes Umschalten von einem >IRC-Kanal (>channel) zum anderen.

channel packing
[**tschänn**l päcking]

Kanalbündelung
Nicht-standardisierte Funktion von ISDN-Adaptern (>ISDN), die es ermöglicht, zwei oder mehrere Kanäle zur Übertragung von Nutzdaten zu koppeln, womit die Datenübertragungsgeschwindigkeit merklich erhöht werden kann.

Chaos Computer Club
[**keh**oss kəm**pjuh**tə klab]

Ein in Deutschland eingetragener Verein, der aus einer Gruppe von Hackern (>hacker) besteht, welche durch das Eindringen in fremde Computernetze auf die Sicherheitsrisiken und Gefahren der vernetzten Gesellschaft hinweisen wollen.

character
[**kärr**əktə]

Schriftzeichen
Binäre (>binary) Darstellung eines Buchstabens, einer Zahl oder eines Symbols; vgl. >ASCII.

chat
[tschätt]

plaudern, Plauderei
Simultane Diskussion im >World Wide Web bzw. in Online-Diensten (>on-line): In Echtzeit (>realtime) werden dabei über die Tastatur Nachrichten ausgetauscht. Einige Chats finden regelmäßig statt, andere nur zu bestimmten Anlässen und Themen. Diese Art miteinander zu plaudern nennt man "chatten"; vgl. >IRC.

churn rate
[**tschöhn** reht]

"Churn-Rate"
Einheit für den prozentualen Umsatzrückgang einer Telefongesellschaft aufgrund weniger verbrauchter Telefoneinheiten – sei es zum Telefonieren oder zur Nutzung einer Online-Verbindung (>on-line).

CIM
[ßimm *oder* ßih-ai-**ämm**]
CompuServe Information Manager
(Produktname)

Mittlerweile überholtes, offizielles Zugangsprogramm für >CompuServe; vgl. >WinCim.

CIS
[ßiss *oder* ßih-ai-**äss**]
CompuServe Information Service
(Firmen-/Anbietername)

>CompuServe.

CIX
[ßickß *oder* ßih-ai-**äckß**]
Commercial Internet Exchange

"Kommerzieller Internet-Austausch"
Bezeichnung für die Datenaustauschpunkte, an denen der globale Datenverkehr des Internets von einem Netz (>network) zum anderen übergeben wird. In Deutschland übernimmt das

DE-CIX in Frankfurt/M. diese Austauschfunktion. Damit wird gewährleistet, dass der Transfer auf dem kürzesten Weg erfolgt.

ClariNet
[**klärr**inätt]
(Firmen-/Anbieter-name)

Kommerzieller Online-Verlag (>on-line), der eine Reihe nachrichtenorientierter >Usenet-Newsgroups (>newsgroup) betreibt. Hierbei handelt es sich um geschlossene (= gebühren-pflichtige) Benutzergruppen.

Clark, Jim

Einer der Begründer und Vorsitzender der Netscape Communications Corporation; vgl. >Netscape Navigator, >Andreessen, Marc.

class 1 (2)
[klahß **wann** (**tuh**)]

Standards für Faxmodems (>modem).

class A (B, C) network
[klahß **eh** (**bih**, **ßih**) **nätt**wöhk]

Bezeichnung für die Anzahl von Host-Servern (>host, >server), die eine Internet-Netzwerk-Umgebung umfassen kann. "Class A" verwaltet. bis zu 16.777.215, "Class B" bis zu 65.535 und "Class C" maximal 256 Host-Server.
Von Klasse A (Regierungen und ähnlich große Organisationen) sind bis zu 128 Netze möglich; von Klasse B (wachstumsorientierte Organisationen) kann es maximal 16.384 Netze geben; Klasse C (kleine Bulletin Boards (>BBS) und/oder individuelle Server) ist begrenzt auf eine Anzahl von 2.097.152 Netzen.

clear text authentication
[kliə **täckßt** ohθänti**keh**schn]

"Klartext-Authentifizierung"
Ein vom >Internet Explorer verwendetes un-verschlüsseltes Authentifizierungsprotokoll (>protocol).

clickstream
[**klick**ßtrihm]

"Klickstrom"
Von Besuchern einer Web-Site (>site) zurückge-legter Weg, der sie innerhalb dieser Web-Site zur gewünschten Information führt.

client
[**klai**ənt]

"Kunde"
Anwendung, die die Dienste eines Servers (>server) in Anspruch nimmt; vgl. >client-server.

client-server
[klaiənt ßöhwə]

"Kunde-Dienstleister"

Beschreibt das Prinzip der Aufgabenbeziehungen in einem Netzwerk:
Ein Computer, der Server (>server), stellt anderen Computern, den Clients (>client), die mit ihm durch ein Netzwerk oder eine Telefonleitung verbunden sind, seine Dienste zur Verfügung. Die Dienste können z. B. in der Bereitstellung von Datenbanken (>database) bestehen oder der Vermittlung von E-Mails (>e-mail).

Typische Client-Server-Systeme sind Online-Dienste (>on-line service provider). Technisches Bindeglied ist neben der Hardware (Leitungen) die gemeinsame Software.

clipper chip
[klippə tschipp]

Sicherheits-Chip, den die amerikanische Regierung gerne in jede Kommunikations-Hardware (Telefon, Fax, Modem (>modem) etc.) installiert gehabt hätte: Dieser Chip hätte die Kommunikation so verschlüsseln können, dass niemand hätte mithören können – mit Ausnahme der Regierung, die nämlich über den Entschlüsselungscode verfügt hätte. Es gab massive öffentliche Proteste, und das Projekt ist nie realisiert worden.

CLM
[ßih-äll-**ämm**]
Career Limiting Move

"karrierebeendende Handlung"

1. Im allgemeinen Sprachgebrauch könnte es z. B. heißen: "Auf der Betriebsfeier parodierte er den Chef, womit er den CLM-Preis gewann."

2. In Bezug auf Software: Bezeichnung für einen ernsthaften, problematischen Fehler (>bug), der, weil das Programm nicht ordentlich getestet wurde, erst durch einen Anwender (>user) entdeckt wird.

CML
[ßih-ämm-**äll**]
Chemical Markup
Language

Chemische Auszeichnungssprache

Eine sich noch in der Entwicklung befindende auf >XML basierende Standardsprache zur formatierten Darstellung von Dokumenten, mit der sich unter anderem der Aufbau von Molekülen exakt beschreiben lässt.

cobweb site
[**kob**wäb ßaitt]

"Spinnweben-Site"
Inhaltlich und/oder grafisch nicht mehr zeitgemäße Web-Site (>site).

com
[komm]
company

"Firma"
Bestandteil der Internet-Adressen-Syntax (>address): Name für eine Domain (>domain), und zwar für den Server (>server) eines Wirtschaftsunternehmens. "com" steht für die Tatsache, dass es sich bei dem Betreiber der Site um eine "company", eine Firma, handelt.

command line interface
[k**ə**mm**ahnd** lain int**ə**fehß]

Befehlszeilen-orientierte Oberfläche
Etwas ältere Methode der Kommunikation zwischen Computer und User (>user). Diese Art der Befehlsübermittlung gehört heute größtenteils der Vergangenheit an, denn inzwischen gibt es für fast alle Bedürfnisse grafische Benutzeroberflächen (>GUI); Abk.: CLI.

Communications Decency Act
[k**ə**mmjuhni**keh**schns **dihß**nßi äckt]

etwa: **Gesetz für Anständigkeit in der Kommunikation**
Umstrittenes Gesetz, das 1996 in den USA in Kraft trat. Demnach wird der Server (>server) bzw. dessen Betreiber dafür verantwortlich gemacht, dass kein jugendgefährdendes Material in die Hände von Minderjährigen gelangt. In anderen Ländern sind ähnliche Gesetzgebungsbestrebungen im Gange.

CommUnity
[k**ə**mm**juh**n**ə**ti]
Computer Communicators' Association

Organisation, die es sich zur Aufgabe gemacht hat, die Computerkommunikation in Großbritannien zu schützen und zu fördern. Vergleichbar dem >EFF, aber mit britischer Ausrichtung.

compensation
[kommpänn**ß**ehschn]

Ausgleich, Abgleich
Abgleich, um Daten, die aus verschiedenen Systemen kommen, für einen Zweck abzustimmen, beispielsweise Adressdatenbanken (>database), die auf unterschiedlichen Systemen, wie PC oder Internet, bearbeitet werden.

Compress
[k**ə**mm**präss**]
(Produktname)

Unter >UNIX laufendes so genanntes Packprogramm, das die Größe von Dateien reduziert. Die aus der DOS-Welt bekannten Dateinamenerweiterungen (>filename extension) sind nicht notwendig, werden aber trotzdem gerne angehängt, um eine mit Compress gepackte Datei zu identifizieren. Die am häufigsten verwendete ist .lzc; vgl. >arc, >archive.

CompuServe
[**komm**pjußöhw]
(Firmen-/Anbieter-name)

Kommerzieller Anbieter von Online-Diensten (>on-line) mit Internet-Zugang. Weltweit mehrere Millionen Mitglieder. Wurde im Januar 1998 von >AOL übernommen.

condom
[**konn**dəmm]

"Schutzüberzug"
Scherzhafte Bezeichnung für die Plastikschutzhülle von 3,5"-Disketten bzw. von Keyboards, die vor Staub und verschütteten Flüssigkeiten bewahrt werden sollen, ohne dass das Tippen behindert wird ("keyboard condom").

conference
[**konn**frənß]

Konferenz
Nachrichtenbereich bzw. Forum (>forum) innerhalb eines Konferenznetzes. Jede Konferenz ist zuständig für ein bestimmtes Thema und weiter untergliedert in noch spezifischere Unterthemen (>topic); vgl. >video conference.

connectivity
[**konn**äck**tiw**əti]

"Anschlussmöglichkeit"
Im Kontext Internet der Überbegriff für den technischen Anschluss an das Internet schlechthin, der sowohl die Software – den Browser (>browser) – und die Hardware – Modem (>modem), >ISDN-Karte, Router (>router) und Server (>server) – als auch die Leitung zum Provider (>provider) einschließt.

connect time
[kən**näckt** taim]

Verbindungsdauer
Zeitdauer, die man online (>on-line) im Internet verbringt.

content
[**konn**tännt]

Inhalt
Inhalt einer Web-Site (>site). Redaktionen und Firmen, die Web-Sites mit Inhalten füllen, heißen entsprechend "content provider", im Deutschen häufig auch "Content-Anbieter" genannt.

cookie
[**kuck**i]

"Keks"
Kleine Datei, die von einer besuchten WWW-Seite (>World Wide Web) auf der Festplatte des Users (>user) erzeugt wird. Eine solche Datei protokolliert die Aktivitäten des Users in der besuchten Web-Seite. Der Vorgang ist aus Datensicherheitsgründen nicht unumstritten; vgl. >Ad Server.

copyright
[**kopp**irait]

Copyright, Urheberrecht
Gesetzliche Methode zur Wahrung der Urheberrechte an kreativen Erzeugnissen wie Texten, Musikstücken, Bildern und gerade auch Computerprogrammen. Im Gegensatz zu anderen, traditionellen Medien ist die Verbreitung von geschütztem Material über das Internet rechtlich noch nicht eindeutig geregelt.

CoSy
[**koh**si]
Conferencing System

Betriebssystem (>OS), unter dem Online-Server (>on-line, >server) laufen können.

counter
[**kaun**tə]

Zähler
Kontrollinstrument, das in der Regel als CGI-Skript (>CGI, >script) auf der Web-Site (>site) installiert wird und die Anzahl der Zugriffe auf bestimmte Web-Seiten zählt und diese darstellt; vgl. >page view.

country code
[**kann**tri kohd]

Landescode
Teil des Domain-Namens (>domain), auch >top level domain genannt.
Nachdem die bloße Länderkennzeichnung künftig nicht ausreichen wird, erwägen die Gremien, die für die Vergabe der Top-Level-Domains zuständig sind, eine Erweiterung nach Branchen, wie dies in den USA bereits üblich ist (.com, .edu, .org etc.). Nachfolgend einige Beispiele für Landescodes:
.ar – Argentina – Argentinien
.be – Belgium – Belgien
.ca – Canada – Kanada
.ch – Switzerland – Schweiz
.de – Germany – Deutschland
.fr – France – Frankreich

.hk – Hong Kong – Hongkong
.ie – Ireland – Irland
.jp – Japan – Japan
.nz – New Zealand – Neuseeland
.se – Sweden – Schweden
.uk – United Kingdom – Großbritannien
.us – United States – USA
.za – South Africa – Südafrika

CPS
[ßih-pih-**äss**]
Characters Per Second

Zeichen pro Sekunde
Maßeinheit für die Geschwindigkeit der Datenübermittlung.

cracker
[**kräck**ə]
(Kunstwort)

"Cracker"
Jemand, der unbefugt in Computersysteme wie Internet-Server (>server) oder Bankenrechner eindringt und dadurch Schaden anrichtet. Im Gegensatz zu Hackern (>hacker) handeln Cracker in der Regel eigennützig.

crash
[kräsch]

Unfall, Zusammenbruch
Plötzlicher, totaler Systemausfall.

CRC
[ßih-ah-**ßih**]
Cyclic Redundancy
Checking

etwa: **zyklische Redundanzprüfung**
Verfahren zum Erkennen von Übertragungsfehlern.

CREN
[ßih-ahr-ih-**änn**]
Corporation for
Research and
Education Networking

etwa: **Vereinigung für das Betreiben (die Förderung) von Forschungs- und Bildungsnetzwerken**
Durch das Verschmelzen von CSNET ("Computer Science Network") und >BITnet ("Because It's Time"-Network) gebildete Organisation mit dem Ziel, die Internet-Gemeinde mit Informationen, Software und Dienstleistungen zum Thema Bildung und Forschung zu versorgen.

cross posting
[**kross** pohßting]

etwa: **Streusendung**
Das Verbreiten ein- und derselben Nachricht in verschiedenen Diskussionsforen (>forum); entspricht nicht dem Internet-Verhaltenskodex (>netiquette), da es die Newsgroups (>newsgroup) unnötig anfüllt. Also eine wirksame Methode, sich in der Internet-Gemeinde unbeliebt zu machen.

cryptography
[kripp**togg**rəffi]

Kryptographie
Kodierung und Verschlüsselung von Nachrichten, sodass diese nur von denjenigen dekodiert werden können, für die sie bestimmt sind; betrifft z. B. das Homebanking (>homebanking); vgl. >DES, >AES, >PGP.

CSLIP
[ßih-ßlip]
Compressed Serial Line
Internet Protocol

Variante von >SLIP, die Kompressionstechniken verwenden, um schnellere Datenübertragungen zu ermöglichen; vgl. >SLIP, >PPP.

CSO Name Service
[ßih-äss-**oh nehm**
ßöhwiss]
Computing Services
Office Name Service

Von der Universität von Illinois in Urbana-Champaign entwickeltes Telefonverzeichnis-System, mit dem man, statt nur in einer bestimmten Stadt oder deren Umgebung, in mehreren Regionen suchen kann. Meist im akademischen Bereich und auch unter dem Namen "CCSO Name Service" (für "Computing and Communication Services Office Name Service") anzutreffen.

CSS
[ßih-äss-**äss**]
Cascading Style Sheets

Vom >W3C verabschiedeter Standard zur seitenunabhängigen Zuweisung von Eigenschaften (Schriftattribute und Positionierung) an HTML-Objekte (>HTML, >DHTML).

CTS
[ßih-tih-**äss**]
clear to send

klar zum Senden, sendebereit
>RTS/CTS.

CUL
CUL8R
C-U-Later = see you
later
(Akronym)

bis später

CUSI
[ßih-juh-äss-**ai**]
Configurable Unified
Search Engine

"Konfigurierbare, einheitliche Suchmaschine"
In den Niederlanden entwickelte und jetzt von der britischen Firma NEXOR bereitgestellte Meta-Suchmaschine (>meta search engine), die individuell konfigurierbar ist.

customize
[**kass**təmais]

anpassen
Begriff, der das Anpassen von Software-

48

Oberflächen und -Funktionen an die persönlichen Vorlieben des Users (>user) bezeichnet; auch personalize.

cybercafé
[ßaibəkäffeh, ßaibəkəfeh]

Internet-Café

Gastronomischer Betrieb, in der Regel ein Café oder Restaurant, in dem man nicht nur Speis und Trank, sondern über bereitgestellte und entsprechend eingerichtete PCs auch einen Internet-Zugang erhält. Man kann surfen (>net surfer), sich mit Gleichgesinnten treffen, essen und trinken. Neben der regulären Zeche zahlt man auch die Gebühren für die Zeit, die man online (>on-line) verbracht hat. Populär wurden diese Cafés in den USA, heute sind sie aber in fast allen größeren Städten der Welt zu finden; vgl. >Cyberia.

CyberCash
[ßaibəkäsch]
(Firmen-/Anbietername)

Amerikanische Firma, die das bargeldlose elektronische Abrechnungssystem >CyberCoin entwickelt hat, das geringfügige Zahlungen im Internet über Kreditkarte ermöglicht.

CyberCoin
[ßaibəkoin]
(Produktname)

Elektronisches Zahlungssystem im Internet, das von der Firma >CyberCash als Ergänzung zur kreditkartenbasierten Bezahlung für den Preisbereich von fünf Pfennigen bis 20 Mark entwickelt wurde. In Pilotversuchen wird es in Deutschland bei der Commerzbank, der Dresdner Bank, der Stadtsparkasse Köln und anderen eingesetzt; vgl. >eCash, >Millicent.

cybercop
[ßaibəkopp]
(Kunstwort)

Cyberpolizist

1. Polizist, der im Internet begangenen kriminellen Handlungen nachgeht.

2. Markenname eines Sicherheitssystems für Netzwerke (>network).

Cyberia
[ßaibiəriə]

Eines der ersten Internet-Cafés (>cybercafé) in Europa war das "Cyberia" in London. Es liegt nahe der U-Bahnstation Goodge Street in der Nähe der Tottenham Court Road. Es kann mit einem direkten Internet-Zugang dienen, und natürlich mit Kaffee und Kuchen.

cybernaut
[ßaibənoht]
(Kunstwort)

Zusammenziehung aus "Cyberspace" (>cyber-space) und "Astronaut". Person, die überdurchschnittlich viel Zeit im Internet verbringt; vgl. >geek, >nerd.

cyberpunk
[ßaibəpanck]
(Kunstwort)

Kultbegriff, dessen Bedeutungsspektrum immer wieder neue Hinzufügungen erfährt: Zunächst bekannt geworden als neue Unterart der Science-fiction-Literatur, die durch den SF-Kultroman "Neuromancer" (1984) von William Gibson (>Gibson, William) populär wurde und die sich, in Auflehnung gegen Althergebrachtes, mit dem Sujet Technologie im weitesten Sinne auseinander setzt. Später, in den Neunzigern, erhielt der Begriff die Bedeutungsfacette einer Weltanschauung und eines Lifestyles, die in der Nähe der Rave- und Techno-Subkultur angesiedelt sind. Entsprechend bezeichnen sich Personen, die sich in dieser Subkultur bewegen, auch selbst als "Cyberpunks".
Der rote Faden, der sich durch das Bedeutungsspektrum zieht, sind seine Komponenten: "punk" meint Rebellion gegen Althergebrachtes, "cyber" meint die Welt der Technologie, Hacker, virtuellen Realität (>virtual reality) etc.

cybersex
[ßaibəßäckß]
(Kunstwort)

Ausdruck, der sich auf das Thema Sex in einer Online- bzw. virtuellen Umgebung (>on-line, >virtual reality) bezieht; er kann z. B. erotische Dialoge via E-Mail (>e-mail) oder Realtime-Chat (>realtime, >chat) bezeichnen, aber auch gänzlich virtuellen Sex, für den z. B. spezielle Anzüge und besonderes Zubehör benötigt werden; vgl. >data glove.

cyberspace
[ßaibəßpehß]
(Kunstwort)

Begriff, der von William Gibson (>Gibson, William) in seinem Roman "Neuromancer" (1984) geprägt wurde und dort die kollektive Welt von vernetzten Computern bezeichnet. Heute im Allgemeinen benutzt, um sich auf die innerhalb von Computernetzen bestehende Welt zu beziehen, die durch die Kommunikationstechnologie zugänglich gemacht wird; vgl. Howard Rheingold (>Rheingold, Howard), >virtual community.

cyborg
[ßaibohg]
cybernetic organism
(Kunstwort)

Mischung aus Mensch und Maschine, bekannt geworden durch Film und Sciencefiction-Literatur.

cycle server
[ßaikl ßöhwə]

Besonders leistungsstarker Rechner in einem Netzwerk mit der Funktion, umfangreiche rechen- und speicherintensive Aufgaben zu erledigen. Weitere, z. B. interaktive Aufgaben (>interactive) werden auf anderen Komponenten des Netzwerks, z. B. Workstations, abgewickelt.

cypherpunk
[ßaifəpanck]
(Kunstwort)

Person, die auf dem Recht des Users (>user) auf eine ungestörte Privatsphäre bei der Internet-Kommunikation besteht und darauf, dass man, um seine Privatsphäre zu sichern, jegliches Verschlüsselungsprogramm verwenden können muss. Die amerikanische Regierung sieht dies etwas anders.

D/A converter
[dih-**eh** kənwöhtə]
Digital-to-Analogue
converter

Digital-Analog-Wandler
Konverter, der analoge (>analogue) Signale digitalisiert und dadurch den Anschluss von analogen Endgeräten an >ISDN ermöglicht.

Daemon
[**dih**mən]
Disk And Execution
Monitor

etwa: **Platten- und Ausführungskontrolle**
Begriff aus der >UNIX-Welt: Aus den Anfangsbuchstaben für "Disk And Execution Monitor" wird das Wort "Daemon", "Geist", auch "Teufelskerl" gebildet. Es handelt sich um ein Programm, das in einem Computersystem im Hintergrund darauf wartet, bei bestimmten Systemereignissen aktiv zu werden, um dann eine genau definierte Aufgabe zu verrichten. Ein einfaches Beispiel ist eine Weckfunktion, aber es kann sich auch um viel komplexere Vorgänge handeln, im schlimmsten Fall um einen Virus (>virus).

Dancing Baby
[**dahn**ßing **beh**bi]

Tanzendes Baby
Dreidimensionales Modell eines tanzenden Babys, das ursprünglich zu Demonstrationszwecken für die Character Studio Software von der Firma Kinetix entwickelt wurde und per Internet zu einem weltweiten Kultobjekt avancierte.

dark fiber
[**dahk faib**ə]

"dunkle/ungenutzte Faser"
Ungenutzte Übertragungskapazität in faseropti-
schen Medien (>fiberglass cable).

DARPA
[**dah**pə]
Defense Advanced
Research Projects
Agency

>ARPA.

DASD
[dih-eh-äss-**dih**]
Direct Access Storage
Device

etwa: **Direktzugriffsspeichergerät**
In erster Linie ein Arbeitsspeicher (>RAM), aber
auch Festplatte, Magnetband etc.

database
[**deh**təbehß]

Datenbank
Informationen (Daten) werden einerseits gesam-
melt, andererseits verwaltet, kontrolliert und
miteinander in Beziehung gebracht von einem
recht komplizierten Filter- und Sortiersystem.
Damit ist bei möglichst nur einmaliger Erfas-
sung einer Information schnellstmögliches Auf-
finden und/oder Sortieren in den verschiedensten
Zusammenhängen möglich. Datenbanken sind
die Grundlage der meisten komplexeren Erscheinungen der heutigen Cyberwelt, z. B. von
CD-ROMs oder Suchmaschinen (>search engine) im Internet, aber natürlich auch der Zent-
ralsysteme von Fluggesellschaften, Banken
oder Versicherungen.

data compression
[**deh**tə kəmpräschn]

Datenkomprimierung
Modus, den man in Datenübertragungsgeräten
wie Modems (>modem), >ISDN-Karten etc. per
Einstellung ein- oder ausschalten kann – in der
Hardware angelegte Komprimierungsmöglich-
keit von Daten, um den Umfang einer zu übertragenden Datei möglichst klein zu halten, damit
die Übertragungszeit bei der Datenfernübertragung kürzer ist. Die ursprüngliche Form der
Daten lässt sich durch Dekomprimierung wieder
herstellen. Die verbreitetsten Komprimierungs-
standards sind MNP5 und >V.42bis; nicht zu
verwechseln mit Packprogrammen wie WinZip
oder PKZIP; vgl. >zip.

data glove
[dehtə glaw]

Datenhandschuh
Handschuhförmiges Dateneingabegerät mit
Sensoren, welches die eigenen Hand- und Fin-
gerbewegungen in digitale (>digital) Befehle
umwandelt; vgl. >cybersex.

datagram
[dehtəgrämm]

Informationseinheit (Datenblock), die über das
Internet übertragen wird, wenn man das Internet-Protokoll (>IP) verwendet.

data highway
[dehtə haiweh]

Datenautobahn
>information (super) highway.

dataholic
[dehtəhollick]

Datensüchtiger
Jemand, in dessen Leben Daten und Informationen aller Art eine übertrieben wichtige Rolle
spielen; vgl. >geek, >nerd, >cybernaut.

data integrity
[dehtə intäggrəti]

Datenintegrität
Allgemeine Bezeichnung für den Schutz von
Daten gegen Veränderungen oder Verfälschun-
gen während der Übertragung.

data throughput
[dehtə θruhputt]

Datendurchsatz
Menge der pro Zeiteinheit übertragenen Daten,
die in der Regel in Bit pro Sekunde (>bits per
second, >baud) angegeben wird. Der Datendurchsatz, häufig auch Bandbreite (>bandwidth)
genannt, bezeichnet im Internet die Serverleis-
tung (>server) bzw. die Leistung des Modems
(>modem).

data traffic
[dehtə träffick]

Datenverkehr
Elektronischer Datenaustausch über ein Netzwerk (>network), dessen Kapazität in Bandbreiten (>bandwidth) und dessen Geschwindigkeit in
Bits pro Zeiteinheit (>bits per second) angegeben wird; kurz auch nur "traffic".

DCE
[dih-ßih-**ih**]
Data Communication
Equipment

etwa: **Datenkommunikationsausrüstung**
Gerät, das Terminal (>terminal) und Datenüber-
tragungssystem verbindet, z. B. Modem
(>modem), >ISDN-Karte etc.

DDN

[dih-dih-**änn**]
1. Defense Data
Network
2. Department of
Defense Network

1. Verteidigungsdatennetzwerk

Weltweites Kommunikations- und Datennetz des
US-Verteidigungsministeriums zum Versand von
nicht geheimen Nachrichten. Es besteht aus dem
>MILNET, Teilen des Internets und anderen
Netzwerken (>network).

2. Netzwerk des Verteidigungsministeriums

Teil des Internets, der bis zur Auflösung des
ARPAnet (>ARPA) militärischen Zwecken
diente.

dead letter box

[däd **lätt**ə bockß]

"Kasten für tote Briefe"

Datei in E-Mail-Systemen (>e-mail), an die
(z. B. wegen Tippfehlern in der Adresse) nicht
zustellbare Nachrichten gesendet werden bzw.
wo sie – vorübergehend – abgelegt werden.

decoding

[dih**koh**ding]

Dekodierung

Wiederherstellung von binärer aus textbasierter
Information mithilfe bestimmter Verfahren; vgl.
>encoding.

decryption

[dih**kripp**schn]

Dechiffrierung, Entschlüsselung

Das Decodieren einer verschlüsselten Datei
zurück in ihren ursprünglichen lesbaren Zustand;
vgl. >cryptography, >encryption.

de-facto standard

[di-**fäck**toh ßtänndəd]

De-facto-Standard

Standard, der zwar nicht durch eine anerkannte
Standardisierungsorganisation, beispielsweise
>ISO oder >W3C, offiziell verabschiedet wurde,
der aber durch seine Verbreitung allgemein
akzeptiert ist; vgl. >de-jure standard.

default

[di**fohlt**]

Werkseinstellung

Grundeinstellung des Computers oder der Software, die man nach eigenen Vorlieben und
Bedürfnissen verändern kann.

"Default" heißt wörtlich "Nichterscheinen" und
wird im Zusammenhang mit dem Internet auch
für Standardseiten innerhalb von Web-Sites
(>site) gebraucht, die angezeigt werden, wenn
eine bestimmte Seite nicht auffindbar ist. Oft

wird damit aber auch schlicht die Eingangsseite einer Web-Site bezeichnet.

Deja.com
[**deh**schah dott **komm**]
(Produktname)

Sehr praktisches Verzeichnis und Suchwerkzeug zur Orientierung in der Welt der Newsgroups (>newsgroup), das die Artikel in zigtausenden Diskussionsgruppen nach vom Anwender vorgegebenen Begriffen durchsucht und ihn so zu den passenden Newsgroups führt.

de-jure standard
[deh-**dschu**əri
ßtänndəd]

De-jure-Standard
Standard, der von einem Normeninstitut, beispielsweise >ISO oder >W3C, verabschiedet wurde und offiziell gültig ist; vgl. >de-facto standard.

delete
[di**liht**]

löschen
Daten, eine Datei oder Nachricht von einem Speichermedium endgültig löschen.

Delphi
[**dell**fai]
(Produktname)

PASCAL-basierte Programmiersprache der Firma Borland/Inprise zur visuellen Programmierung von Windows-Programmen.

delurk
[di**löhk**]
(Kunstwort)

Das "Lurking" (Auf-der-Lauer-Liegen) beenden: z. B. sich zum ersten Mal aktiv an einem Forum (>forum) oder einer Chat-Box (>chat) beteiligen, nachdem man eine Zeit lang passiver Beobachter (>lurker) war.

DE-NIC

Deutsches Network Information Center
Organisation, die am Rechenzentrum der Universität Karlsruhe angesiedelt ist und für die Vergabe und Verwaltung von Domains (>domain) und IP-Adressen (>IP address) unter der Top-Level-Domain .de (>top level domain) zuständig ist; vgl. >NIC, >InterNIC.

DES
[dih-ih-**äss**]
Data Encryption
Standard

Datenverschlüsselungsstandard
Von der Firma IBM und der NASA Anfang der 70er-Jahre entwickeltes Verschlüsselungsverfahren (>encryption) zur Nachrichtenkodierung mit einer Schlüssellänge von 56 Bit (>bit). Je mehr Bits für den Verschlüsselungsalgorithmus (>algorithm) zur Verfügung stehen, desto

sicherer ist das Verschlüsselungsverfahren. Neuere Verfahren verwenden eine Schlüssellänge von 128 Bit und mehr; vgl. >AES.

DHTML
[dih-ehtsch-tih-ämm-**äll**]
Dynamic Hypertext
Markup Language

etwa: **Dynamische Hypertext-Auszeichnungssprache**
Von Browsern (>browser) der 4. Generation bereitgestellte Funktionen zur Entwicklung selbst ablaufender und interaktiver Anwendungen (>interactive). Dies sind insbesondere die vom >W3C standardisierten Sprachen HTML 4 (>HTML) und CSS 1 (>CSS) sowie noch nicht vereinheitlichte Skriptsprachen (>script) wie >JavaScript oder JScript. Probleme bei der Arbeit mit DHTML-Funktionalität bereiten vor allem die uneinheitlichen Objektmodelle der marktführenden Browser sowie die zum Teil sehr fehlerhafte Implementierung der W3C-Standards.

dial close
[**dai**əl klohs]

Wahlsperre
In Deutschland vorgeschriebene Vorrichtung in einem Modem (>modem), die verhindert, dass Telefonnummern ohne Zustandekommen einer Verbindung beliebig oft neu angewählt werden können. Nach dreimaliger vergeblicher Anwahl muss das Modem eine Wartezeit einhalten. Durch die unzulässige Manipulation von AT-Befehlen (>AT command set) setzen manche Leute die Wahlsperre außer Kraft; vgl. >BZT.

dial node
[**dai**əl nohd]

Einwahlknoten
Telefonnummer eines Providers (>provider) oder Online-Dienstes (>on-line service provider), über die der Anwender Zugang zum Internet oder einem proprietären Netzwerk (>network) erhält, indem er diese Telefonnummer über die entsprechende Software seinem Modem (>modem) oder seiner ISDN-Karte (>ISDN) mitteilt.

dial up
[**dai**əl app]

anwählen
Verbindungsaufbau zweier Computer, der – im Gegensatz zur Standleitung (>leased line) – erst bei Bedarf aktiv wird; vgl. >dial close.

dial-up connection
[daiǝl-app kǝnäckschn]

Wählverbindung
Bezeichnung für die Verbindung zu einem Computer, die mithilfe eines Modems (>modem) über eine normale Telefonleitung hergestellt wird.

digicash
[didschikäsch]

digitales Geld
In der Entwicklung befindliche Möglichkeit, im Internet Waren oder Dienstleistungen online (>on-line) zu bezahlen; vgl. >electronic cash, >Millicent, >CyberCoin, >electronic commerce.

digital
[didschittl]

digital
Alles, was man mit Ziffern anzeigen und/oder zählen kann und eine exakte, eindeutige Größe hat, ist digital. Computer arbeiten digital: Sie arbeiten mit einer Folge von ON- und OFF- bzw. JA- und NEIN-Signalen (die berühmten "Einsen und Nullen"). D. h. digitale Werte treten nur in fester Schrittfolge auf, während im Gegensatz dazu analoge Werte (>analogue) stufenlos darstellbar sind.

digital signature
[didschittl ßignitschǝ]

digitale Unterschrift, elektronische Unterschrift
Elektronische Unterschrift, die Zweifel über die Identität des richtigen Online-Kommunikationspartners, vor allem beim Zahlungsverkehr im Internet, ausräumen soll. Sie wird bei einer dazu authorisierten Stelle (>Trust Center) wie VeriSign einmal beantragt und identifiziert fortan den richtigen Online-Geschäftspartner. Deutschland ist weltweit der erste Staat, der die rechtlichen Voraussetzungen für allgemein anerkannte digitale Signaturen geschaffen hat. Im Juli 1997 wurde durch den Deutschen Bundestag ein entsprechendes Gesetz verabschiedet.

digital water mark
[didschittl wohtǝ mahk]

digitales Wasserzeichen
Als Designelement werden digitale Wasserzeichen als sichtbare Hintergrundbilder von Web-Seiten, die sich auch bei einem Bildlauf nicht bewegen lassen, eingesetzt. Wo sie dagegen zum Schutz von Urheberrechten eingesetzt werden, bleiben sie für den Betrachter der Web-Seite unsichtbar.

DIP-switch
[dipp-ßwitsch]
dual in-line package
switch

Kippschalter
Leiste mit winzigen Kippschaltern, umgangssprachlich auch "Mäuseklavier" genannt, mit
denen man Hardware-Einstellungen vornehmen
kann. Man findet sie an Druckern, Main-Boards,
Modems (>modem) etc., aber auch in Autos,
Videorecordern und Fotoapparaten.

directory
[dəräcktəri]

Verzeichnis
Suchverzeichnis im Internet, manchmal Such-
katalog bzw. populär Suchmaschine (>search
engine) genannt, das bei der Informationssuche
neben der Eingabe von Suchbegriffen eine kate-
gorisierte Suche erlaubt. Im Gegensatz zu Suchmaschinen im engeren Sinn wird die Datenbank
eines Suchverzeichnisses vom Anbieter redak-
tionell betreut. Bekannte deutschsprachige Ver-
zeichnisse sind >Yahoo! und >Web.de.

Directory Server
[dəräcktəri ßöhwə]

etwa: **Verzeichnis-Server**
Weltweit funktionierendes Verzeichnis-Pro-
gramm, mit dem Adress- u. ä. Daten eines ganzen Unternehmens im >Intranet und >Extranet
zur Verfügung gestellt werden können. Die
Daten können verschlüsselt werden, wobei die
Freigabe über ein differenziertes System von
Sicherheitsschlüsseln auf verschiedenen Ebenen
erfolgt; vgl. >server.

display options
[dißpleh oppschns]

Anzeigeoptionen
Einstellungen, die festlegen, ob z. B. eine Web-
Seite nur im Textmodus angezeigt werden soll,
also schnell, aber schlicht, oder mit Grafik und
Frames (>framed), d. h. langsamer, aber optisch
ansprechender.

distribution
[dißtribjuhschn]

Verteilung
Wird im >Usenet verwendet, um die gewünschte
geographische Verbreitung einer Nachricht festzulegen: Beim Versenden (>post) der Nachricht
wird man von der Software nach der "Distribution" gefragt. Mögliche Antworten sind, je nachdem, auf welchem Host (>host) man sich befindet, z. B. "local" (vgl. >local newsgroup) bis hin
zu "world" ("in alle Welt").

dithering
[diðəring]

"Schwanken", "Zögern"
Farbrastern: Verfahren, mit dem ein Grafikprogramm dem menschlichen Auge mehr Farben vortäuschen kann als im aktuellen Bestand (= im eingestellten Modus, z. B. 16 Farben) tatsächlich verfügbar sind. Die Anordnung der verschiedenen Farbpunkte wird verändert, die Farben werden praktisch "gemischt", wodurch Zwischenfarben erscheinen.

Vorteil: Weniger Farben sparen Speicherplatz und Zeit beim Bildschirmaufbau. Das Verfahren wird folgerichtig z. B. zum Komprimieren von Bilddateien eingesetzt.

D-Kanal

Daten- beziehungsweise Steuerkanal im >ISDN zur Übertragung von Steuerinformationen und zur Abwicklung und Kontrolle des Verbindungsaufbaus über die B-Kanäle (>bearer channel). In Ausnahmefällen werden auch Nutzdaten übertragen. Die Datenübertragungsrate beträgt 16 Kilobit für den Basisanschluss und 64 Kilobit (>kilobit) beim Primärmultiplex-Anschluss.

dll
[dih-äll-**äll**]
dynamic link library

etwa: **dynamische Laufzeit-Bibliothek**
WINDOWS-Programm-Module, die einzelnen Anwendungsprogrammen grundlegende Funktionen zur Verfügung stellen, wie z. B. die >CAPI.dll, die Anwendungsprogrammen den Zugriff auf eine >ISDN-Karte ermöglicht; vgl. >Winsock, >TCP/IP.

DNS
[dih-änn-**äss**]
Domain Name System

Domain-Namen-System
Datenbanksystem, das Domain-Namen (>domain) in nummerische Internet-Adressen (>IP address) übersetzt; vgl. >domain name server.

DOCSIS
[**dock**ßiss]
Data Over Cable
Service Interface
Specification

"Spezifizierung der Schnittstellen für Daten über Kabel-TV-Leitungen"
Beschreibung der technischen Voraussetzungen für den bidirektionalen Datentransfer nach dem Internet-Protokoll (>IP) über das Medium Kabel-TV-Leitungen.

document
[**dock**jumənt]

Dokument
Jede >HTML-Datei bzw. WWW-Seite (>World
Wide Web) wird gewöhnlich als Dokument
bezeichnet.

dogpile
[**dog**pail]
(Kunstwort)

Bezeichnung für eine große Anzahl unfreundli-
cher Antworten und Kommentare auf ein einziges Posting (>post). Sollte z. B. ein religiöser
Missionar in einer alt.atheism-Newsgroup
(>newsgroup) ein Posting platzieren, so könnte
er wohl mit einem "dogpiling" rechnen; vgl.
>cross posting.

DOM
[domm]
Document Object
Model

"Dokumenten-Objektmodell"
Vom >W3C empfohlene plattform- und spra-
chenneutrale Schnittstelle, die Programmen und
Skripten (>script) dynamischen Zugriff und die
Aktualisierung des Inhalts, der Struktur und der
Stilvorlagen von sowohl >HTML- als auch
>XML-Dokumenten ermöglicht.

domain
[dəmehn]

etwa: **(Geltungs)Bereich**
Alle Dokumente (>document) und Rechner
unter einem gemeinsamen Namen (vgl. >IP
address). Eine Domain kann von einem einzelnen Host (>host) gebildet werden, aber auch von
einem ganzen Netzwerk (>network). Man unterscheidet zwischen Top-Level-Domains (>top
level domain) und "subdomains".

Domain-Namen setzen sich aus mehreren Teilen
zusammen, die hierarchisch angeordnet sind und
von rechts nach links gelesen werden. Der letzte
Teil bezeichnet also die oberste Strukturebene,
die Top-Level-Domain. Nachfolgend einige Beispiele aus der obersten Ebene:
.com – commercial organisations – kommerzielle Anbieter, z. B. Firmen, >com
.edu – educational organisations – Bildungsinsti-
tutionen, z. B. Universitäten
.gov – government organisations – Regierungs-
organisationen und -einrichtungen
.mil – military organisations – militärische Einrichtungen

.net – network resources – Netzwerkressourcen
.org – misc organisations – diverse Organisationen.
Vgl. >country code, >DNS.

**domain name
server**
[dəmehn nehm ßöhwə]

Domain-Namen-Server
Rechner, der die Rückauflösung von Domain-
Namen (>domain) in computerlesbare nummerische IP-Adressen (>IP address) ermöglicht;
vgl. >DNS.

dongle
[dongəl]
(Kunstwort)

Kopierschutz, der als Hardware von manchen
Programmen mitgeliefert wird: ein kleiner, hin-
ten am Rechner anzubringender Kasten, ohne
den das betreffende Programm nicht läuft. Ein
wirksamer Kopierschutz, der aber auch seine
Tücken haben kann, wenn z. B. der "dongle"
einfach nur defekt ist.

dot
[dott]

Punkt
Dient bei Internet-Adressen (>address, >URL)
oder -Firmen zur Trennung von Adressbestand-
teilen und wird auch im Deutschen häufig mit
der englischen Bezeichnung für Punkt ausge-
sprochen, beispielsweise "Amazon dot com".

down
[daun]

unten, herunter, hinunter
1. Zustand, in dem ein Rechner bzw. System
nicht in Betrieb ist

2. Server-Befehl (>server), der ein System ver-
anlasst herunterzufahren.

download
[daunlohd]

Herunterladen
Übertragung einer Datei auf den eigenen Computer – entweder von einem anderen Rechner,
der mit jenem über eine Datenleitung, z. B. via
Modem (>modem), verbunden ist oder auch
direkt aus dem Internet; Gegensatz: >upload.

DPL
[dih-pih-**äll**]
Digital Power Line

"Digitale Stromleitung"
Hochgeschwindigkeitszugang zum Internet über
die Stromleitung, der in Deutschland im Rahmen
eines Pilotprojektes vom lokalen Netzbetreiber
Tesion in einem Feldversuch ausgetestet wird.

Die Datenübertragungsgeschwindigkeit beträgt ein Megabit pro Sekunde (>mbps), muss aber von allen angeschlossenen Teilnehmern geteilt werden.

Dreamcast
[**drihm**kahßt]
(Produktname)

Videokonsole von Sega mit integriertem Modem (>modem) und Internet-Zugang.

DSS1
[dih-äss-äss-**wann**]
Digital Subscriber
Signaling System 1

D-Kanal-Protokoll (>D-Kanal, >1TR6) für Euro-ISDN (>ISDN).

DSSSL
[dih-äss-äss-äss-**äll**]
Document Style
Semantics and
Specification Language

"Dokumenten-Stil-, Semantik- und Spezifikationssprache"
Eine sehr umfassende >ISO-standardisierte Stilsprache für >SGML-Dokumente. Ein entsprechender Standard für >XML-Dokumente ist das >W3C-Projekt >XSL.

DTD
[dih-tih-**dih**]
Document Type
Definition

Dokumententypdefinition
Definition für die Auszeichnungen einer >XML-Quelldatei, die neben den Tags (>tag) auch deren Interpretation enthält. XML-Dateien können ihre DTD in sich oder aber einen Verweis auf eine externe DTD enthalten; vgl. >valid, >well-formed.

DTE
[dih-tih-**ih**]
Data Terminal
Equipment

Datenendgeräte
Jegliche Bestandteile eines Hardware-PC-Arbeitsplatzes, in die Daten ein- oder aus denen Daten ausgegeben werden: der Prozessor, der Bildschirm, die Tastatur, der Drucker, die Maus etc.

DTR
[dih-tih-**ah**]
Data Terminal Ready

Datenendgerät bereit
Steuersignal bei der Datenübertragung; vgl. >DTE.

duplex
[**djuh**pläckß]

Duplexbetrieb
1. Bei Datenleitungen: die Übertragung von Signalen zeitgleich in beide Richtungen; vgl. >full duplex, >half duplex.

2. Im Zusammenhang mit Druckern: das gleich-
zeitige Bedrucken beider Seiten.

DVD
[dih-wih-**dih**]
Digital Video Disk,
Digital Versatile Disk

Digitalvideoplatte
Standard, der einen Datenträger beschreibt, der
herkömmlichen CDs ähnlich ist, aber beidseitig
beschrieben und gelesen werden und auf einer
Seite bis zu 8,5 Gigabyte (>gigabyte) Daten auf-
nehmen kann. Immer mehr Anwendungen auf
DVD wie digitale Lexika (>digital) lassen sich
übers Internet aktualisieren.

DWISNWID
Do what I say not
what I do.
(Akronym)

Tu, was ich dir sage, und nicht, was ich selber
tue.

DYJHIW
Don't you just hate it
when ...
(Akronym)

Hasst du es nicht auch, wenn ...

Dyson, Esther

Tochter des berühmten Physikers Freeman
Dyson und First Lady des Internets, die 1982 mit
dem monatlichen Newsletter (>newsletter)
"Release 1.0" ein Diskussionsforum für alle Fragen, die sich aus der Nutzung des Internets für
wirtschaftliche, gesellschaftliche und politische
Zwecke ergeben, schuf. Die Essenz dieses
Newsletters legte sie in ihrem Buch "Release
2.0" dar.

EARN
[öhn]
European Academic
Research Network

etwa: **Europäisches Akademisches Forschungs-
netzwerk**
Organisation, die das europäische Pendant zum
amerikanischen >BITnet darstellt.

eBay
[ihbeh]
*(Firmen-/Anbieter-
name)*

Dieser amerikanische Pionier unter den privaten
Auktionshäusern (>p2p auction) im Internet hat
seit dem Start im September 1995 mehr als 50
Millionen Gegenstände unter den virtuellen
Hammer gebracht.

Ebone
[**ih**bohn]
(Kunstwort)

etwa: **"Europa-Rückgrat"**
Gruppe von Zentralrechnern, die für die Admini-
stration des Internets sorgen; Zusammenziehung
aus "Europe" und ">backbone".

ecash
[**ih**käsch]
(Produktname)

Elektronisches Zahlungssystem der niederländi-
schen Firma DigiCash, das auf digitalen Zahlungseinheiten beruht, die bei einer Internet-
Bank gegen echtes Geld getauscht werden können. In Deutschland läuft seit Oktober 1997 ein
Pilotprojekt der Deutschen Bank; vgl. >Milli-
cent, >CyberCoin.

echo
[**ek**oh]

"Echo"
1. Nachrichtenbereich in einer >Fidonet-Mail-
box (>mailbox) oder im >Usenet; vgl. >BBR.
2. Parameter in der Datenkommunikation: Wenn
z. B. in einer DFÜ-Software das "local echo"
unnötigerweise auf "on" steht, erscheint jedes
einfach eingegebene Zeichen auf dem Bildschirm doppelt.

ECMA
[ih-ßih-ämm-**eh**]
European Computer
Manufacturers
Association

**Europäische Vereinigung der Computer-
hersteller**
Europäische Vereinigung von Hard- und Soft-
wareherstellern zur Standardisierung von Infor-
mations- und Telekommunikations-Technolo-
gien mit Sitz in der Schweiz.

EDD
[ih-dih-**dih**]
Electronic Direct Debit

(Produktname)

"Elektronisches Direktdebet"
Elektronisches Zahlungssystem im Internet für
lastschriftbasierte Bezahlverfahren sowie Kredit-
kartenzahlungen. Der Online-Konsument muss
zur Nutzung dieses Systems ein so genanntes
Wallet auf seinem Rechner installieren, das er
von der Web-Site (>site) eines der beteiligten
Kreditinstitute herunterladen kann; vgl. >eCash,
>Millicent.

EDI
[ih-dih-**ai**]
Electronic Data
Interchange

Elektronischer Datenaustausch
Datendienst für den papierlosen Austausch von
Informationen in und zwischen Unternehmen,
der durch bestimmte Datenformate fest definiert
ist und zunehmend übers Internet stattfindet.

editor
[editə]

Hilfsprogramm zum Erstellen und Bearbeiten von Textdateien. Einfache Editoren sind normalerweise in jedes >Usenet- oder E-Mail-Programm (>e-mail) integriert. Es gibt aber auch spezielle >HTML-Editoren (>web editor), mit denen einfache Web-Sites (>site) ganz schnell zu produzieren sind.

EEPROM
[dabbl **ih**promm *oder*
ih-**ih**-promm]
Electrically Erasable
Programmable
Read-Only Memory

elektrisch löschbarer programmierbarer Nur-Lese-Speicher
>EPROM, der mit einem elektrischen Signal wieder gelöscht und neu beschrieben werden kann.

EFF
[ih-äff-**äff**]
Electronic Frontier
Foundation

US-Organisation, die sich mit den sozialen und gesetzlichen Belangen beschäftigt, die sich aus der wachsenden Computerkommunikation ergeben; vgl. >CommUnity.

electronic business
[äläck**tronn**ick **bisn**əss]

elektronisches Geschäft
Bezeichnung für die Abwicklung von geschäftlichen Transaktionen über das Internet; auch >electronic commerce.

electronic cash
[äläck**tronn**ick **käsch**]

elektronisches Geld
Bargeldloser Zahlungsverkehr in Online-Systemen (>on-line). Die Bezahlung mit elektronischem Geld soll die Abwicklung von Geschäften über das Internet (>electronic commerce) sicherer machen und hier künftig die Kreditkarte ersetzen. Die Fortentwicklung dauert noch an, da man jedes Sicherheitsrisiko ausschließen will; vgl. >eCash, >Millicent, >CyberCoin.

electronic commerce
[äläck**tronn**ick
kommöhß]

elektronischer Handel
Überbegriff für geschäftliche Transaktionen im Internet wie Bestellen und Bezahlen von Waren bzw. Dienstleistungen.

Emacs
[**ihm**äckß]
(Produktname)

Universeller Editor (>editor) in Online-Systemen (>on-line). Programmiert von Richard Stallman.

e-mail
[**ih**-mehl]
electronic mail

elektronische Post, E-Mail
Methode, Nachrichten per Computer zu ver-
schicken anstelle der traditionellen Briefpost auf
dem Überlandweg (vgl. >snail mail). Eine der
wichtigsten und populärsten Errungenschaften
der computergestützten Kommunikation. Über
E-Mail können nicht nur Texte, sondern auch
Daten aller Art verschickt werden; vgl. >attach-
ment.

emoticon
[**imoh**tikən]
(Kunstwort)

Emoticon
Aus verschiedenen >ASCII-Zeichen zusammen-
gesetztes kleines Symbol bzw. Gesicht, um
Gefühlsregungen darzustellen, z. B. wenn
jemand fröhlich ist :-)
Vgl. >smiley sowie Kapitel Emoticons.

encoding
[in**koh**ding]

Kodierung
Umwandlung von binärer in textbasierte Information mithilfe bestimmter Verfahren wie
>UUencode; vgl. >decoding.

encryption
[in**kripp**schn]

Chiffrierung, Verschlüsselung
Methode, Daten vor unbefugtem Zugriff zu
schützen. Normalerweise im Internet benützt,
um E-Mails (>e-mail) vor allzu neugierigen
Augen zu bewahren; vgl. >cryptography, >DES,
>AES, >PGP.

Enfopol
[änn**foh**poll]

Organisation, die die europaweite Zusammenarbeit der Innen- und Justizministerien koordiniert.
Die Richtlinien, Pläne und Strategiekonzepte der
Enfopol haben weitreichende Auswirkungen und
Konsequenzen auf Menschenrechte und technische Entwicklungen. Den gesamten Telefon-
und Datenverkehr permanent abhören bzw. kon-
trollieren zu können, aber auch die Verschlüsselung (>cryptography) von hochsensiblen Firmen-
oder Privatdaten in Computernetzen (>network)
zu unterbinden, sind zwei der erklärten Ziele von
Enfopol.

EOF
[ih-oh-**äff**]
End Of File

Ende der Datei
Steuerzeichen: Dateiende-Marke.

EPROM
[**ih**promm]
Erasable
Programmable
Read-Only Memory

löschbarer programmierbarer Nur-Lese-Speicher
Bezeichnung für Speicherchips, auf denen Daten oder Programme auch nach dem Herstellungsprozess durch den Anwender abgelegt und jederzeit wieder neu programmiert werden können; vgl. >ROM, >PROM, >RAM.

EPS
[ih-pih-**äss**]
Encapsulated
PostScript

"eingekapseltes PostScript"
Dateiformat für Grafiken, das die vollständige Beschreibung des Bildes enthält und somit auch in einem anderen als dem zur Erstellung verwendeten Anwendungsprogramm eingebunden werden kann.

equalisation
[ihkwəlai**seh**schn]

Entzerrung
Schaltkreis, der in einigen Modems (>modem) integriert ist, um Verzerrungen entgegenzuwirken, die durch die Telefonleitung auftreten können.

error checking
[**ärr**ə tschäcking]

Fehlerprüfung
Schaltkreistechnik, die Fehler bei der Datenübertragung entdeckt und korrigiert. Ist in den meisten Modems (>modem) integriert (>MNP, >V.42), ebenso beim >TCP/IP im Internet.

error control
[**ärr**ə kəntrohl]

Fehlerkontrolle
Verschiedene Techniken, um die Richtigkeit von übertragenen Zeichen oder Datenblöcken zu überprüfen.

ESAD
eat shit and die!
(Akronym)

etwa: Leck mich am A...!
Sehr ordinäre Aufforderung, jemandem den Buckel herunterzurutschen.

Ethernet
[**ih**θənätt]

>LAN-Basisband-Spezifikation (>baseband), erfunden von Rank Xerox und gemeinschaftlich weiterentwickelt von Xerox, Intel und Digital. Mittels dieser weit verbreiteten Technologie werden verschiedene Rechner innerhalb eines LANs vernetzt.

etiquette
[ättikätt]

Etikette
>netiquette.

ETLA
[ih-tih-äll-**eh**]
Extended Three Letter
Acronym

"erweitertes Drei-Buchstaben-Akronym"
>TLA.

ETX
[ih-tih-**äcks**]
End Of Text

Element eines Protokolls (>protocol), das das
Ende einer Dateneingabe signalisiert und mit
>ACK beantwortet wird.

Eudora
[ju**dohrə**]
(Produktname)

Sehr populäres Internet-E-Mail-Programm
(>e-mail).

euro file transfer
[**ju**əroh fail **trännnß**föh]

"Eurofiletransfer"
Standard zur Datenübertragung zwischen zwei
PCs über >ISDN.

EURO-ISDN
[**ju**əroh-ai-äss-dih-**änn**]

"EURO-ISDN"
1993 eingeführter europäischer Standard für
>ISDN, der von 26 Netzbetreibern aus 20 euro-
päischen Staaten gemeinsam vereinbart wurde.

**European
Laboratory for
Particle Physics**
[ju**ə**rə**pih**ən lə**borr**ətri fə
pahtickl **fis**ickß]

Europäisches Labor für Teilchenphysik
>CERN.

events
[i**wänntß**]

Ereignisse
1. Entspricht in etwa der direkten deutschen
Übersetzung. Der Begriff ist in Suchmaschinen
(>search engine) und Veranstaltungskalendern
anzutreffen und bezeichnet erwähnenswerte
Ereignisse.

2. System-Ereignisse, z. B. Mausklick oder
Tastatureingabe.

Excite
[ick**ßait**]
(Produktname)

Bekannte Suchmaschine (>search engine), die
von der amerikanischen Firma Excite Inc. betrieben wird.

Explore.zip
[ickß**ploh** dott **sipp**]

Bezeichnung für einen Wurm-Virus (>worm),
der Mitte 1999 für immensen Schaden sorgte.
Betroffen waren unter anderem Windows-Rech-
ner der Firmen Boeing, General Electric und
Microsoft.

extension
[ickß**tänn**schn]

Erweiterung
>filename extension.

Extranet
[**äckß**trənätt]

Über den Firmenstandort hinaus erweitertes
>Intranet, über das z. B. entfernte Filialen oder
Geschäftspartner mit dem Hauptsitz der Firma
kommunizieren können.

e-zine
[**ih**-sihn]
electronic magazine

elektronisches Magazin
Elektronisch vertriebene Zeitschrift (Magazin)
im >World Wide Web, die sich meist an
bestimmte Interessengruppen wendet und deshalb auch "fanzine", Fanmagazin, genannt wird.

F2F
face "two" face = face to
face
(Akronym)

von Angesicht zu Angesicht

FAQ
[äff-eh-**kjuh**]
frequently asked
questions
(Akronym)

Oft auch Plural FAQs = häufig gestellte Fragen:
Um das mehrmalige Beantworten immer wieder
gestellter Fragen zu vermeiden, werden diese
Fragen von Mailbox-, Web-Seiten- und News-
group-Betreibern (>mailbox, >World Wide Web,
>newsgroup) gesammelt und entsprechende Ant-
worten auf der betreffenden Site (>site) zur Verfügung gestellt.

faradize
[**fär**ədais]
(Kunstwort)

Begriff aus dem Hacker-Slang (>hacker), abge-
leitet vom Namen des englischen Physikers
Michael Faraday (1791 – 1867; Elektrizität war
bekanntermaßen das Forschungsfeld, auf dem er
berühmt wurde.) Das Verb "faradize" bezeichnet
das Initiieren oder Fortführen eines süchtig
machenden, "elektrisierenden" Prozesses oder
Trends. Ein "faradisierender" Akt wäre z. B. das
Informieren eines Users (>user) über ein neues
Spiel – mit dem dann zwei Wochen später die
gesamte Abteilung spielt.

FAST
[fahßt]
Federation Against
Software Theft

etwa: **Vereinigung gegen Software-Diebstahl**
1984 gegründeter Zusammenschluss der Software-Industrie zum urheberrechtlichen Schutz von Programmen durch Copyright (>copyright) etc.

Fast Internet over ISDN
[fahßt intənätt ohwə ai-äss-dih-änn]

"schnelles Internet über ISDN"
Internet-Zugang, der mittels Bündelung zweier >ISDN-Datenkanäle eine Datenübertragungsrate von 128 Kilobit pro Sekunde (>kbps) garantieren soll. Maßgeblich beteiligt an dieser Entwicklung ist die Berliner Firma AVM, die 1999 eine gleichnamige Initiative aus der Taufe gehoben hat.

favorites
[fehwərittß]

Favoriten
Ausdruck aus dem Microsoft >Internet Explorer für vom Anwender bevorzugte und deshalb zum leichten Wiederfinden gespeicherte WWW-Seiten (>World Wide Web). Entspricht den Lesezeichen (>bookmark) im >Netscape Navigator.

fax modem
[fäckß mohdämm]

Faxmodem
Modem (>modem), das auch Faxe versenden und empfangen kann.

FDDI
[äff-dih-dih-ai]
Fiber Distributed Data Interface

"auf Glasfaser verteilte Datenschnittstelle"
Datenübertragungstechnologie in Glasfasernetzwerken (>network, >fiberglass cable), die sehr hohe Übertragungsraten von bis zu 100 Megabits pro Sekunde (>mbps) ermöglicht.

feed
[fihd]

"füttern"
Das Internet bezieht Informationen auch aus anderen Netzen, wie z. B. dem >Usenet. Diesen Informationsaustausch bezeichnet man mit "feed".

feedback
[fihdbäck]

Rückmeldung
Die zwei wichtigsten Bedeutungen im Internet-Zusammenhang sind:
1. auf Web-Seiten: Mail-Schnittstelle für Nachrichten an das Support-Personal;

2. Ermittlung, wie häufig eine Homepage (>home page) besucht wird; funktioniert z. B. über einen Zähler (>counter).

fiberglass cable
[**faib**əglahß **keh**bl]

Glasfaserkabel
Optisches Übertragungsmedium, das aus feinen
Glasfäden besteht und hohe Bandbreiten (>band-
width) ermöglicht. Glasfaserkabel werden häufig
in Backbones (>backbone) eingesetzt.

Fidonet
[**fai**dohnätt]
*(Firmen-/Anbieter-
name)*

Weltweiter Verband von Mailboxen (>mailbox),
die sich zu einer Art kleinem Internet zusam-
mengeschlossen haben.

filename extension
[**fail**nehm
ickß**tänn**schn]

Dateinamenerweiterung
Beim Surfen durch das Internet begegnet man
einer Vielzahl von Dateiendungen, die auf die
Anwendungen hinweisen, in denen die Dateien
jeweils erzeugt wurden. Viele Dateien sind
durch ein Komprimierungsprogramm "gepackt",
was ebenfalls durch die Dateinamenerweiterung
angezeigt wird.
Einige der häufigsten Extensionen sind:
.arc – mit pkpak gepackt
.arj – arj-gepackt
.exe – ausführbare Datei, wie z. B. Programmdateien
.gif – >GIF-Bilddatei
.gz – gzip-gepackt
.hqx – >BinHex-gepackt
.htm – >HTML-Dokument
.html – >HTML-Dokument
.jpeg – >JPEG-Bilddatei
.lha – lha-gepackt
.pak – pak-gepackt
.pit – packit-gepackt
.sit – >Stuffit-gepackt
.tar – >Tar-gepackt
.tar.Z – >Tar- und >Compress-gepackt
.txt – Textdatei
.uue – mit >UUencode umgewandelt
.z – pack-gepackt
.Z – >Compress-gepackt
.zip – pkzip-gepackt
.zoo – zoo-gepackt.

file server
[**fail** ßöhwə]

Rechner, der Dateien für das Internet bereithält
und sie für die verschiedenen Internet-Anwen-

dungen zugänglich macht, z. B. zum Herunterladen (>download) oder zur Datenbankrecherche
(>database).

finger
[fingə]

etwa: **Anzeiger, "Finger"**
Programm, das anzeigt, welche Teilnehmer
gerade in einem Netz angemeldet, d. h. online
(>on-line) sind. Mit Genehmigung eines Teil-
nehmers erfährt man über so genannte "finger
files" sogar Details, wie z. B. jemandes Arbeits-
zeiten, Essgewohnheiten etc.

Fireball
[faiəbohl]
(Produktname)

Suchmaschine (>search engine) der Firma Gru-
ner + Jahr Electronic Media Services (EMS).
Verfügt über einen enorm großen Datenbestand
deutschsprachiger Seiten und liefert auch Suchergebnisse in Kooperation mit >RealNames.

firewall
[faiəwohl]

"Brandschutzmauer"
Rechner, der einem lokalen Netzwerk vorgeschaltet ist. Er dient als Sicherheitssystem, das
helfen soll, ein geschlossenes Netzwerk (>net-
work, >Intranet) vor Hackern (>hacker) und
anderen nicht autorisierten Nutzern zu schützen.
Das ganze System beruht meistens auf Kombinationen von Verschlüsselungen, Zugriffsrechten
und Kennwörtern und wird sowohl durch die
Soft- als auch die Hardware realisiert.

FIRST
[föhßt]
Forum of Incident
Response and Security
Teams

**"Forum aus Ereignis-, Antwort- und Sicher-
heitsteams"**
Internationaler Zusammenschluss von Organisationen, die sich um die Sicherheit der Datenkommunikation kümmern.

flame
[flehm]

"Flamme"
Bezeichnung für eine Beleidigung und/oder
einen persönlichen Angriff eines Diskussions-
partners im >Usenet, beim Chat (>chat) oder in
einer E-Mail-Korrespondenz (>e-mail). Die
Palette reicht von Albereien bis hin zu schwer-
wiegenden Beleidigungen und widerspricht in
jedem Fall dem Internet-Verhaltenskodex
(>netiquette). Nähere Informationen auch in
der Newsgroup >alt.flame.

flame bait
[**flehm** beht]

"flame"-Köder
Beleidigende o. ä. Nachricht (>flame), die als Köder ("bait") gelegt und in der Absicht gesendet wird, eine entsprechende Gegenreaktion zu provozieren; streithaftes Verhalten, das eskalieren kann (vgl. >flame war).

flame war
[**flehm** woh]

"flame"-Krieg
Eskaliertes Austauschen von beleidigenden Nachrichten (>flame): Jeder beleidigt jeden!

flat rate
[**flätt** reht]

Pauschaltarif
Tarifverfahren, bei dem die Mitgliedschaft bei einem Provider (>provider) oder Online-Dienst (>on-line service provider) nicht nach Online-Minuten, sondern über eine monatliche Pauschale abgerechnet wird; vgl. >volume rate.

flow control
[**floh** kəntrohl]

Flusskontrolle
Verfahren, das die Kommunikation zwischen Modem (>modem) und Rechner regelt und die jeweilige Empfangsbereitschaft meldet. Dazu dient entweder ein einfaches Software-Protokoll (>XON/XOFF) oder die bei weitem bessere Hardware-Lösung (>RTS/CTS).

FOAD
fuck off and die!
(Akronym)

etwa: "Leck mich am A...!"
Ordinäre Aufforderung, einem den Buckel herunterzurutschen. Trotz des niedrigen Niveaus begegnet man diesem Akronym im Internet durchaus.

FOAF
friend of a friend
(Akronym)

Freund eines Freundes

FOC
free of charge
(Akronym)

kostenlos, gratis

follow up posting
[**folloh**-app **pohß**ting]

etwa: **Folgepost**
Das Kommentieren oder Beantworten einer in einer Newsgroup (>newsgroup) stehenden Nachricht (vgl. >post), das alle anderen Teilnehmer der betreffenden Newsgroup mitlesen können.

form
[fohm]

Formular
Bereich einer HTML-Seite (>HTML), in dem sich aktive Elemente zur Datenübermittlung an einen Server (>server) befinden. Über Formulare haben Anwender die Möglichkeit, Daten einzugeben, die zur Auswertung an den Server weitergegeben werden. Formulare werden häufig beim Online-Shopping oder bei Umfragen verwendet.

forum
[**fohr**əm]

Forum
Ein Nachrichten- bzw. Diskussionsbereich in kommerziellen Online-Diensten (>on-line) wie z. B. >CompuServe und >T-Online; vergleichbar dem >echo im >Usenet oder in einer >Fidonet-Mailbox.

forwarding
[**foh**wəding]

Weiterleiten
Weiterleiten elektronischer Nachrichten (>e-mail) an andere E-Mail- oder Fax-Adressen.

fragmentation
[frägmən**teh**schn]

Fragmentation, Zersplitterung
Technik, eine Internet-Protokolldatei (>protocol) so aufzusplitten, dass sie den technischen Anforderungen eines anderen physischen Netzwerks entspricht.

frame
[frehm]

"Rahmen"
Datenblock, der von Steuerzeichen "umrahmt" ist, also Kopfteil und Nachspann (Fachausdrücke >header und >trailer) besitzt. Nicht zu verwechseln mit >frames.

framed
[frehmd]

"gerahmt"
Bezeichnung für die Oberflächen-Darstellung mit Frames (>frames). Da die Darstellung mit Frames gewisse Mindestanforderungen an den Browser (>browser) stellt, bieten manche Web-Sites die Option an, sie mit oder ohne Frames zu laden; vgl. >text-only.

frame relay
[**frehm** rihleh]

Leistungsstarkes Übertragungsverfahren für >WANs, das Internet-Verbindungen mit Geschwindigkeiten zwischen 56 Kilobits pro Sekunde (>kbps) und 1,5 Megabits pro Sekunde (>mbps) erlaubt.

frames
[frehms]

Rahmen
Web-Browser-Technik (>World Wide Web, >browser), die mit dem Netscape Navigator 2.0 eingeführt wurde und es ermöglicht, das Browser-Fenster in verschiedene voneinander unabhängige Bereiche aufzuteilen. Dadurch wird eine komplexere Struktur der Web-Site (>site) möglich. Beispielsweise bleibt eine Navigationsleiste in einem Frame auch sichtbar, wenn einer ihrer Unterpunkte angeklickt wird. Der dazugehörige Inhalt erscheint dann in einem eigenen Frame.

Free Agent
[**frih** ehdschənt]
(Produktname)

Guter PC-Newsreader (>newsreader), den es für Geld nicht zu kaufen gibt, weil er nämlich gratis ist (vgl. >freeware).

FreeMail
[**frih**mehl]

"Kostenlose elektronische Post"
Bezeichnung für kostenlose und providerunabhängige (>provider) elektronische Postfächer im Internet, deren Größe in der Regel begrenzt ist und die sich meistens nur über einen Browser (>browser) im >World Wide Web bearbeiten lassen. Vorreiter im deutschsprachigen Raum ist die Firma GMX. Auch die beiden Suchverzeichnisse (>directory) >Yahoo! und >Web.de bieten seit Oktober 1998 FreeMail an.

Freenet
[**frih**nätt]

"freies Netz"
Aus den USA stammende beliebte Methode, einen kostenlosen Internet-Zugang bereitzustellen. Einer der bekanntesten und zugleich der erste Provider (>provider) dieser Art war das Cleveland Freenet. In Deutschland ist das vom Bundesland Bayern geförderte Bayerische Bürgernetz dem Freenet vergleichbar. Im Gegensatz zu von öffentlichen Stellen betriebenen Netzen wird der User in den Freenets kommerzieller Anbieter meist mit sehr viel Werbung konfrontiert.

freeware
[**frih**wäə]

Software, die der Autor zum kostenlosen Gebrauch zur Verfügung stellt und die man sich herunterladen (>download) kann. Meistens bestehen jedoch Einschränkungen, was die Abänderung des Programmcodes und/oder die

kommerzielle Nutzung und den Weiterverkauf
betrifft; vgl. >shareware, >public domain.

FTP
[äff-tih-**pih**]
File Transfer Protocol

Dateiübertragungsprotokoll
1. Technischer Kommunikationsstandard, der
die Dateiübertragung via Internet regelt. Zur
Übertragung wird FTP (2.) gestartet und eine
Verbindung mit dem Zielrechner hergestellt. Oft
muss man zum Einloggen (>login) als Benutzer
registriert sein (Ausnahme: >anonymous FTP).

2. Steht auch für Programme, die nach dem
FTP-Protokoll Dateien übertragen und empfangen.

FTPmail
[äff-tih-**pih**-mehl]

Um Online-Nutzern (>on-line) mit einge-
schränktem Internet-Zugang zu helfen, haben
eine Reihe von >FTP-Anbietern Mail-Server
(>mail server, auch als Archiv-Server bezeichnet) eingerichtet, die es ermöglichen, Dateien
per E-Mail (>e-mail) zu empfangen. Man
schickt per E-Mail eine Anfrage an einen dieser
Rechner, und dieser sendet die gewünschte Datei
ebenfalls per E-Mail zurück. Genauso wie mit
FTP kann man alles finden, von historischen
Dokumenten bis hin zu Software. Allerdings ist
anzumerken, dass, wenn man FTP-, also Internet-Zugang hat, diese Methode in jedem Fall
schneller und weniger aufwendig ist als der
Umweg über die eigentlich ja nur für das Austauschen von elektronischer Post gedachte E-Mail.

FTP server
[äff-tih-**pih** ßöhwə]

FTP-Server (>FTP, >server) haben nur eine ein-
zige Aufgabe zu erfüllen: das Zur-Verfügung-
Stellen von Dateien. Bei vielen FTP-Servern
handelt es sich um so genannte "anonymous
server", d. h. es wird keine Zugangsberechtigung
verlangt (>anonymous FTP).

FUBAR
fouled/fucked up
beyond all recognition
fouled up beyond all
repair
(Akronym)

etwa: **bis zur Unkenntlichkeit verstümmelt,
irreparabel zerstört**
Metasyntaktische Variable: eine Bezeichnung,
die auf alles und jedes verwendet wird, was
gerade Thema ist.
Historie: Ursprüngliche Bedeutung: "Failed Uni-
bus Address Register" in einem VAX-Rechner

(Großrechner). Die zufällige Übereinstimmung mit einem in der amerikanischen Marine gebräuchlichen Spruch ("fouled/fucked up ...") sowie die lautliche Ähnlichkeit mit der Silbe "foo" (1. Ausdruck des Ärgers, 2. allgemeiner Ausdruck für alles Mögliche), die in Zusammenhang mit "bar" ein traditioneller Ausdruck in amerikanischen Comicstrip-Klassikern ist – auf die im Internet-Jargon generell gerne Bezug genommen wird –, ergibt als Summe ein Konglomerat von Bedeutungen, aus dem man sich das Passende heraussuchen kann.

full duplex
[**full djuh**pläckß]

Vollduplex(verfahren)
Datenübertragungsverfahren zwischen direkt miteinander verbundenen Stationen (Computer, Telefon etc.). Dabei können beide Stationen zu gleicher Zeit senden und empfangen; vgl. >half duplex. Soundkarten mit Vollduplexfähigkeit sind ein wichtiges Hardware-Element für das Telefonieren via Internet.

FWIW
for what it's worth
(Akronym)

wozu immer es auch gut sein mag

FYE
for your entertainment
(Akronym)

zu deiner Unterhaltung, viel Spaß damit

FYI
for your information
(Akronym)

zu deiner Information

<G>
grin

grinsen
Mischform aus Akronym und Smiley; vgl. Kapitel Emoticons.

G2
[dschih **tuh**]
(Produktname)

Eine um zahlreiche Eigenschaften verbesserte Version der Software >RealAudio.

GA
go ahead
(Akronym)

na los, vorwärts!

GAL
Get alive! Get a life!
(Akronym)

Wach auf! Werd (wieder) lebendig!

Gamelan
[**gämm**əlän]
(Produktname)

Spezialverzeichnis (>directory) für die Suche
nach Java-Applets (>Java, >applet), Java-Skripts
(>JavaScript) und ActiveX-Komponenten
(>ActiveX). Alle gelisteten Produkte werden in
Gamelan kurz beschrieben, neue und besonders
interessante Einträge sind markiert.

gateway
[**geht**weh]

"Tor", "Zugang"
Netzverbindungsrechner, der Daten zwischen
zwei sonst inkompatiblen Netzwerksystemen
überträgt.

GD&R
grinning, ducking and
running
(Akronym)

grinsen, ducken und wegrennen
Verfasser zieht sich feixend zurück, nachdem er
einen provozierenden Diskussionsbeitrag geliefert hat.

geek
[gihk]

Bezeichnung für einen Computer- und Online-
"Spinner" (>on-line).
Ursprünglich waren damit negative Klischeevor-
stellungen verbunden: ein asozialer, blass ausse-
hender "Besessener", der seine Zeit ausschließlich am Computer verbringt.
Nach 1990 kam es zu einem Bedeutungswandel,
da das Wort zunächst von den Betroffenen (also
den "Geeks") in ironischem Protest zur Selbstbe-
zeichnung verwendet wurde. Heute allgemeine
Bezeichnung ohne Wertung für einen skurrilen
Charakter, der verrückt auf Computer- und On-
line-Aktivitäten ist, der nicht nur seine Arbeits-,
sondern auch seine Freizeit am Rechner verbringt und in der Regel der Allgemeinheit auch
das entsprechende Fachwissen voraus hat. Im
Unterschied zu "Nerds" (>nerd) sind "Geeks"
keine Einsiedler, sondern suchen durchaus Kontakt bzw. bilden eine eigene Gemeinde mit einer
Art geheimem Erkennungscode. Ihr gesellschaft-
liches Leben spielt sich im Unterschied zum
"Normalsterblichen" jedoch hauptsächlich
online ab.

Gemini
[**dschämm**inai]
(Produktname)

Transatlantisches Glasfaserkabel (>fiberglass cable), welches im Auftrag des Telekommunikationsunternehmens WorldCom gelegt wurde und die beiden Metropolen London und New York in einem Stück unter Wasser verbindet. Mit Gemini soll den Telekommunikations- und Internetanwendungen mehr Bandbreite (>bandwidth) zur Verfügung stehen.

Gibson, William

Sciencefiction-Autor, der in seinem bekanntesten Roman, "Neuromancer" (erschienen 1984), den Begriff des Cyberspace (>cyberspace) prägte; vgl. >cyberpunk.

GIF
[dschiff]
Graphics Interchange Format

"Grafik-Austausch-Format"
Dateinamenerweiterung (>filename extension), die ein im Internet sehr gebräuchliches Bildformat bezeichnet; vgl. >animated GIF.

gigabyte
[**gigg**əbait]

Gigabyte
1.000 Megabyte (>megabyte), genau 1.073.741.824 Byte (>byte); Maßeinheit für die Größe eines Speichers; vgl. >kilobyte. Abk.: GB, Gbyte.

GIGO
garbage in, garbage out
(Akronym)

"Müll rein, Müll raus"
Wo man Müll hineinsteckt, kommt auch Müll heraus.
Bezieht sich auf Computereingaben, Programmierung etc.: Wenn man Unsinn eingibt, braucht man sich nicht zu wundern, wenn auch nur Unsinn herauskommt.

gizmo
[**gis**moh]
(Kunstwort)

"Dingsbums"
Informell verwendetes Wort, das eine Sache oder ein Ding bezeichnet, an deren bzw. dessen Namen man sich nicht erinnert oder das keinen Namen hat. Auch verwendet, um Geringschätzung oder Unwichtigkeit auszudrücken.

GNU
[nuh *oder* dschih-ännjuh]

Eine Reihe von Programmen, die von der "Free Software Foundation" entwickelt wurden und vertrieben werden. GNU ist bei >UNIX-Programmierern weit verbreitet und führte zu dem scherzhaften Spruch "GNU's Not Unix".

Gopher
[**gohf**ə]
(Produktname)

"Beutelratte"
Vorgänger des WWW (>World Wide Web) und
der erste Versuch, die immense Datenfülle des
Internets zu strukturieren. Gopher bietet Zugang
auf textbasierte Informationen, ist menügesteuert
und im Gegensatz zum WWW mit seinen
Hyperlinks (>hyperlink) hierarchisch gegliedert.
Man kann also nicht nach Belieben von einer
Seite zur anderen springen, sondern muss stets
zum Ausgangspunkt zurück, um von dort eine
andere Abzweigung in der Baumstruktur zu
nehmen; veraltendes System, dem das grafisch
ausgerichtete WWW inzwischen den Rang
abgelaufen hat; vgl. >Gopherspace.
Zur Namensgeschichte:
Es gibt zwei Theorien: 1. Bürobote, dem man
zuruft: "Go fer (= for) it!" 2. Beutelratte –
Gopher wurde an der Universität von Minnesota
entwickelt, welche die Beutelratte als Mas-
kottchen führt. Auch wird der Bundesstaat
Minnesota als "gopher state" bezeichnet; vgl.
>Veronica.

Gopherspace
[**gohf**əßpehß]
(Kunstwort)

Gesamtheit aller >Gopher-Server (>server):
Informationsquellen im Internet, zu denen man
Zugang mittels der Browser-Utility (>browser)
Gopher bekommt. Das Besondere ist die Steue-
rung durch Menüs statt durch Hyperlinks
(>hyperlink). Viele der Menüs auf den Gopher-
Servern verweisen auch auf Quellen, die über
andere Internet-Tools (>tool) zugänglich sind,
wie z. B. >Telnet (um vorzutäuschen, man habe
es mit dem Terminal (>terminal) eines anderen
Computers zu tun) oder >FTP (um Dateien zwischen Computern zu übertragen). Gopherspace
ist relativ groß und kann als Ausgangspunkt für
eine Suche im Internet durchaus empfohlen werden, besonders, wenn man die Menüsteuerung
der Link-Systematik vorzieht.

Der Großteil der im Internet platzierten neuen
Informationen wird jedoch in FTP- oder
WWW-Formaten (>World Wide Web) präsen-
tiert, und selbst ursprünglich von Gopher-
Servern stammende Informationen werden

zunehmend in die WWW-Welt transferiert. Das bedeutet letztlich, dass Gopherspace schwindet.

GPRS
[dschih-pih-ahr-**äss**]
General Packet Radio System(s)

"Allgemeines Paketfunksystem"
Mobilfunkstandard (>mobile), mit dem sich Daten(pakete) mit einer Geschwindigkeit von bis zu 115 Kilobit pro Sekunde (>kbps) übertragen lassen und der sich dadurch auch für den mobilen Zugriff auf das Internet eignet. GPRS basiert auf >GSM-Technik, benutzt aber bei der Übertragung das Internet-Protokoll (>IP); vgl. >UMTS, >HSCSD.

Green Book
[**grihn** buck]

Grünes Buch
Eine von den Firmen Sony und Philips entwickelte Spezifikation für >CD-Is; vgl. >Red Book, >Orange Book.

GSM
[dschih-äss-**ämm**]
Groupe Spéciale Mobile; Global System for Mobile communications

Europäischer Mobilfunkstandard (>mobile), der sich inzwischen weltweit durchgesetzt hat und sowohl im D1- als auch D2-Netz Anwendung findet.

GUI
[**gui** *oder* dschih-juh-**ai**]
Graphical User Interface

grafische Benutzeroberfläche
Vorzufinden bei Software, die das Benutzen eines Systems oder einer Applikation (>application) durch den Einsatz von Mausklicktechnik, Icons (>icon) und Scroll-Balken (>scrollbar) komfortabel macht. GUI hat dem Internet zu einer wesentlich benutzerfreundlicheren und leichter zu bedienenden Oberfläche verholfen.

guiltware
[**gilt**wäə]

"Schuld-Software"
Programm, das zwar kostenlos heruntergeladen (>download) werden kann (vgl. >freeware), aber beim Öffnen darauf hinweist, wie lange und hart der Autor des Programms daran gearbeitet hat und das zu verstehen gibt, dass man ein egoistischer "Freeloader" ist, wenn man nicht auf der Stelle dem armen Autor Geld überweist.

Gzip
[**dschih**-sipp]
(Produktname)

Dateienkomprimierungsprogramm, das im Internet häufig vorkommt.

H.323
[ehtsch dott
θrih-tuh-θrih]

Ein von der >ITU-T definierter Kommunikationsstandard für die Übertragung von Audio- und Videokonferenzen (>video conference) über paketvermittelte Netzwerke (>network) mit variablen Bandbreiten (>bandwidth), beispielsweise das Internet.

H.324
[ehtsch dott
θrih-tuh-**foh**]

Standard für die Bildkommunikation über das analoge (>analogue) Fernsprechnetz, der separate Kanäle für die Übertragung von Audio- und Videodaten vorsieht und vor allem bei Videokonferenzen (>video conference) im Internet Anwendung findet.

hacker
[**häck**ə]
(Kunstwort)

Hacker
Computer-Enthusiast, der sein Können und Wissen u. a. dazu nutzt, unbefugt in geschlossene Computersysteme einzudringen. Je nach Sichtweise wird mit der Bezeichnung "Hacker" nicht in jedem Fall eine Kritik, sondern oft auch Bewunderung ausgedrückt. Hacker selbst grenzen sich betont von so genannten "Crackern" (>cracker) ab, die in den fremden Systemen großen Schaden anrichten; vgl. >Chaos Computer Club.

half duplex
[**hahf djuh**päckß]

Halbduplex(verfahren)
Datenübertragungsverfahren zwischen direkt miteinander verbundenen Stationen (Computer, Telefon etc.). Dabei kann immer nur eine Station senden, während die andere empfängt (und umgekehrt); vgl. >full duplex.

handle
[**hänn**dl]

etwa: **Pseudonym, Alias-Name**
Der Ausdruck ist entlehnt aus der CB ("Citizens Band")-Kultur und bezeichnet ein Pseudonym, mit dem man sich online (>on-line) in Newsgroups (>newsgroup) identifiziert, sodass man seinen tatsächlichen Namen nicht preisgeben muss; auch "screen name" genannt, vgl. >alias.

handshaking
[**hänn**schehking]

"Händeschütteln"
Austausch von Signalen, der die Kommunikation zwischen zwei Geräten einleitet bzw. ermöglicht und dessen Zweck es ist, die beiden Geräte zu synchronisieren.

Hayes
(Firmen-/Anbieter-
name)

Modemhersteller (>modem) der ersten Stunde, dessen AT-Modem-Befehlssatz (>AT command set) zum inoffiziellen Industriestandard wurde.

HBCI
[ehtsch-bih-ßih-**ai**]
HomeBanking
Computer Interface

"Computer-Schnittstelle für Homebanking"
Schnittstellenspezifikation, die im Auftrag des Bundesverbandes deutscher Banken vom Zentralen Kreditausschuss der deutschen Geldinstitute (ZKA) entwickelt wurde. Im Rahmen eines Ende 1997 in Kraft getretenen Abkommens ist HBCI für alle Bankenverbände, die im ZKA vertreten sind, verpflichtend. Im Wesentlichen werden beim Homebanking (>homebanking) >PIN und >TAN durch zwei Sicherheitsmethoden abgelöst, eine softwarebasierte und eine chipbasierte Lösung, die dafür sorgen, dass die "echten" Kommunikationspartner elektronisch miteinander verbunden sind und kein anderer mitliest. Das langfristige Ziel von HBCI ist die rechtsverbindliche "elektronische Signatur" als Pendant zur eigenhändigen Unterschrift sowie ein bankenübergreifender Dialog.

HDSL
[ehtsch-dih-äss-**äll**]
High Bit-Rate Digital
Subscriber Line

etwa: **hochbitratige digitale Teilnehmeranschlussleitung**
Technik zur Übertragung von digitalen Daten, die auf herkömmlichen Kupfer-Telefonkabeln basiert und bei einer maximalen Entfernung von vier Kilometern Datenübertragungsgeschwindigkeiten zwischen 1,5 und zwei Megabit pro Sekunde (>mbps) ermöglicht. Eignet sich insbesondere für schnelle Verbindungen zwischen Web-Servern (>server) und Fernleitungen; vgl. >ADSL, >VDSL, >IDSL.

header
[**hädd**ə]

"Kopfteil"
Anfangsteil eines zu übertragenden Datenpakets, der Informationen über den Ausgangs- und Endpunkt einer Sendung und die Fehlerkontrolle enthält. Der Ausdruck wird oft fälschlich nur mit E-Mails (>e-mail) in Verbindung gebracht und deshalb "mail header" genannt, ist aber normalerweise in jedem Datenpaket enthalten, das von Rechner zu Rechner übertragen wird.

hertz
[höhtß]

Hertz
Die Maßeinheit für Frequenzen; jede Einheit
bedeutet eine Schwingung pro Sekunde; Abk.:
hz/Hz.

HHOJ
ha, ha, only joking!
(Akronym)

Haha, war ja nur Spaß!

HHOS
ha, ha, only serious!
(Akronym)

Haha, das war (jetzt aber) ernst!
Antwort auf >HHOJ.

hierarchy
[**hai**rahki]

Hierarchie, Rangordnung
>Usenet-Newsgroups (>newsgroup) sind hierar-
chisch strukturiert. Es gibt sieben thematisch
definierte Hauptgruppen:

comp (Computer)
misc ("miscellaneous" – gemischte Themen)
news (Nachrichten)
rec ("recreation" – Freizeit und Hobby)
sci ("science" – Wissenschaft)
soc ("social" – Kultur)
talk (Diskussionsrunden)
Diese besitzen ihrerseits wieder Untergruppen/
-themen, die durch mehr oder weniger verständliche Abkürzungen bezeichnet sind.

hit
[hitt]

Treffer, Zugriff
Ältere Einheit für die Messung der Anzahl von
Zugriffen auf eine WWW-Seite (>World Wide
Web). Jeder Zugriff auf einen Text oder eine
Grafik entspricht demnach einem "hit"; vgl.
>qualified hits, >page view, >visit.

Home
[hohm]

"Heim", "nach Hause"
Befindet man sich in den "Tiefen" einer Web-
Site (>site) und klickt auf den Button (>button)
"Home", so gelangt man zum Ausgangspunkt,
d. h. zur Startseite zurück. Entsprechend haben
Startseiten häufig Dateinamen wie ...home.htm,
...index.htm oder ...start.htm.

homebanking
[**hohm**bänking]

etwa: **Bankgeschäfte von zu Hause aus**
Möglichkeit, von zu Hause vom eigenen
PC-Terminal (>terminal) aus seine Bankge-
schäfte via Internet zu erledigen.

home page
[**hohm** pehdsch]

etwa: **Start-, Ausgangsseite**
1. Web-Seite (>World Wide Web) bzw. bei
mehrseitigen Darstellungen eines im Web stehenden Anbieters die jeweils erste Seite, auf
der man ankommt, wenn man die Adresse
(>address) anwählt.

2. Frei einstellbare Startseite im Web-Browser
(>browser), auf der man immer beginnt. Emp-
fehlenswert ist, statt der meist voreingestellten
Reklame des Service-Providers (>provider) eine
Suchmaschine (>search engine) einzustellen.

hop
[hopp]

"Sprung", "Hüpfer"
Teilstrecke, die eine Information von einem
Internet-Router (>router) zu einem anderen
zurücklegt.

host
[hohßt]

"Wirt", "Hausherr", "Gastgeber"
Zentralrechnersystem, das es einem Anwender
ermöglicht, in einem Netzwerk mit anderen
Computern zu kommunizieren; vgl. >node.

hosting
[**hohß**ting]

"Hosting"
Bereitstellung der Leistungen eines Internet-
Servers (>server), wie Speicherplatz und E-Mail-
Accounts (>e-mail, >account), z. B. für die
Installation einer Web-Site (>site).

**hostname
computer**
[**hohß**tnehm
kə**mpjuh**tə]

Name eines Zentralrechnersystems (>host).

Hotbot
[**hott**bott]
(Produktname)

Eine der größten Suchmaschinen (>search
engine) im Internet.

hot link
[**hott**link]

"heißer Draht"
>hot spot.

hotlist
[**hott**lißt]

etwa: **Lesezeichenliste**
Eine Reihe vom Anwender bevorzugter und des-
halb zum leichten Wiederfinden gespeicherter
WWW-Seiten (>World Wide Web). Entspricht
den "Bookmarks" (>bookmark) im >Netscape
Navigator bzw. den "Favoriten" (>favorites) im
Microsoft >Internet Explorer.

hot spot
[**hott**ßpott]

"heißer Fleck"
Ein bestimmter Bereich in einer Grafik oder einem
Bild, der mit einem Hyperlink (>hyperlink) hinter-
legt ist. Er wird erst dann in der Statuszeile oder
durch die veränderte Gestalt des Mauszeigers
sichtbar, wenn der Anwender die Maus über diesen
Bereich bewegt; vgl. >image map.

href
[**ehtsch**-räff]

>HTML-Formatierungskommando (>tag), mit
dem ein Verweisziel (>anchor) definiert wird;
vgl. >hyperlink.

HSCSD
[ehtsch-äss-ßih-
äss-**dih**]
High Speed Circuit
Switched Data

**"Leitungsübertragene Hochgeschwindigkeits-
daten"**
Teil des Mobilfunkstandards >UMTS, der sich
insbesondere auch für den mobilen Zugriff auf
das Internet eignen wird, da sich Daten(pakete)
mit einer Geschwindigkeit von mindestens 14,4
und maximal 76,8 Kilobit pro Sekunde (>kbps)
übertragen lassen sollen; vgl. >mobile, >GSM,
>GPRS.

HST
[ehtsch-äss-**tih**]
High Speed Technology

etwa: **Hochgeschwindigkeitstechnologie**
Spezifisches Signalschema bei Modems
(>modem) der Firma Miracom. Entsprechungen
gab es auch bei anderen Modemherstellern.
Heute werden nur noch von der >ITU-T vorge-
gebene Standards verwendet (vgl. >V.17 bis
>V.120).

HTML
[ehtsch-tih-ämm-**äll**]
Hypertext Markup
Language

etwa: **Hypertext-Auszeichnungssprache**
Seitenbeschreibungssprache zum Erstellen eines
Dokuments (>document) im >World Wide Web.
Wird mit zunehmender Komplexität des Web-
Designs immer wieder durch erweiterte Formen
ergänzt; vgl. >hypertext, >DHTML, >XML,
>VRML.

HTTP
[ehtsch-tih-tih-**pih**]
Hypertext Transfer/
Transmission Protocol

etwa: **Hypertext-Übertragungsprotokoll**

Eines von vielen Internet-Protokollen (>protocol), das für die Übertragung und Verknüpfung von Web-Seiten (>World Wide Web) zuständig ist.

Web-Adressen (>address) muss formell ein "http://" vorangestellt werden: Daran erkennt der Web-Browser (>browser), dass für die Übertragung das HTTP-Protokoll verwendet wird.

HTTP status code
[ehtsch-tih-tih-**pih**
ßtehtəß kohd]
Hypertext Transfer
Protocol status code

HTTP-Statuscode

Dreistelliger Code, der die Ergebnisse einer Datenanforderung an einen HTTP-Server (>HTTP, >server) kennzeichnet. Anhand der ersten Ziffer lässt sich der Status wie folgt erkennen:
1: Anforderung, die vom Client (>client) noch nicht vollständig gesendet wurde.
2: Erfolgreiche Anforderung.
3: Weitere Aktion vom Client erforderlich.
4: Fehlgeschlagene Aktion aufgrund eines Client-Fehlers; vgl. >400, >401, >402, >403, >404.
5: Fehlgeschlagene Aktion aufgrund eines Server-Fehlers.

hub
[hab]

"(Rad)Nabe"

Knotenpunkt in einer Netzwerkumgebung, in der die Computer sternförmig angeschlossen sind.

hybrid CD-ROM
[**hai**brid ßihdih-**romm**]

Hybrid-CD-ROM

CD-ROM, die sowohl auf einem PC als auch einem Macintosh-System läuft. Neuerdings wird die Bezeichnung auch für CD-ROMs mit erweitertem Angebot im Internet verwendet.

hyperlink
[**hai**pəlinck]

etwa: **Hyper(text)-Verbindung**

Üblicherweise blaufarbige und blau unterstrichene Wörter im Fließtext von Web-Seiten (>World Wide Web), die man anklicken kann und die einen Querverweis auf bzw. Absprungspunkt zu einer anderen Adresse (>URL) im WWW darstellen. In jedem >HTML-Dokument lassen sich beliebig viele Hyperlinks zu anderen

Seiten unterbringen. Im Gegensatz zu Anchors (>anchor) sind mit Hyperlinks weniger die Programmierbefehle als die sichtbaren Oberflächenelemente gemeint.

hypermedia
[haipəmihdiə]

Hypertext (>hypertext), der Verbindungen zu anderen Medien wie Grafik, Sound oder Video enthält.

hypertext
[haipətäckßt]

Texte, die miteinander verknüpft sind: Das Anklicken eines hervorgehobenen Wortes (>hyperlink) innerhalb eines Textes führt zu einem weiteren verknüpften Text, der in inhaltlicher Beziehung zum Ausgangstext steht. Der Ausdruck wurde Mitte der 60er-Jahre von Ted Nelson (>Nelson, Ted) geprägt. Hypertext ist das Grundprinzip des >World Wide Web; Abk.: HT; vgl. >HTML, >HTTP, >anchor.

Hytelnet
[haitällnätt]
(Produktname)

Zusammenziehung aus "Hyper" und >Telnet; Datenbanksystem (>database), mit dem über Hyperlinks (>hyperlink) auf Telnet-Server (>server) zugegriffen werden kann: Die Datenbank stellt Textdateien bereit, in denen jeweils eine Telnet-Ressource beschrieben ist mit Nennung von Adresse, Anbieter, Angebot, Administrationsdetails und sonst Wissenswertem. Einst gängiges Suchwerkzeug (>search engine), v. a. für Bibliotheksressourcen; heute allenfalls noch im akademischen Bereich anzutreffen.

Hytime
[haitaim]
Hypermedia/Timebased Structuring Language

etwa: **Hypermedia/zeitbasierte Struktursprache**
>ANSI/>ISO-Standardsprache für Hypertext (>hypertext) und Multimedia (>multimedia) in >SGML.

Hz/hz
[höhtß]
hertz

>hertz.

IAB
[ai-eh-**bih**]
Internet Architecture Board

Rat der Hauptverantwortlichen für Internet-Standards, der sich um die Weiterentwicklung der Internet-Protokolle (>protocol) kümmert; besteht aus >IETF und >IRTF.

IANA
[aiähnə]
Internet Assigned
Numbers Authority

"Organisation zur Zuteilung von Internet-Nummern"
Institution mit der Aufgabe, Doppelungen von im Internet gebräuchlichen Protokoll-Kennungen (>protocol) auszuschließen. Sie führt eine entsprechende aktuelle Liste der von ihr zugeteilten Nummern (>assigned numbers).

IAP
[ai-eh-**pih**]
Internet Access
Provider

"Internet-Zugangsbereitsteller"
Firma oder Institution, die gegen Gebühr Zugang zum Internet anbietet; vgl. >ISP.

IBN
I'm buck naked.
(Akronym)

Ich bin ganz nackt.

ICMP
[ai-ßih-ämm-**pih**]
Internet Control
Message Protocol

"Internet-Kontroll-Nachrichten-Protokoll"
Internet-Protokoll (>IP), bei dem zwischen Internet-Modulen Testdaten ausgetauscht werden, um Fehlern bei >TCP/IP-Verbindungen auf die Spur zu kommen; vgl. >PING.

icon
[**ai**konn]

Bild, Symbol
Symbol in einer grafischen Benutzeroberfläche (>GUI), das einen Befehl, eine Anwendung, eine Datei o. Ä. repräsentiert.

IDSL
[ai-dih-äss-**äll**]
ISDN Digital Subscriber
Line

etwa: **digitale ISDN-Teilnehmeranschluss-leitung**
Technik zur Übertragung von digitalen Daten, die auf analogen (>analogue) Standleitungen basiert und bei einer maximalen Entfernung von 15 Kilometern Datenübertragungsgeschwindigkeiten von bis zu 144 Kilobits pro Sekunde (>kbps) ermöglicht; vgl. >HDSL, >ADSL, >VDSL.

IE
[ai-**ih**]
Internet Explorer
(Produktname)

Gängige Abkürzung für den WWW-Browser >Internet Explorer der Firma Microsoft.

IETF
[ai-ih-tih-**äff**]
Internet Engineering
Task Force

etwa: **Internet-Entwickler-Einsatzgruppe**
Große, offene und internationale Gemeinschaft
von Netzwerk-Designern und -Anbietern sowie
Forschern, die sich mit der Entwicklung der
Architektur und dem einwandfreien Funktionie-
ren des Internets befasst; Teil des >IAB.

IGMP
[ai-dschih-ämm-**pih**]
IP Group Management
Protocol

"IP- Gruppenmanagement-Protokoll"
Standardprotokoll (>protocol), welches das
Abonnieren beziehungsweise Kündigen eines
IP-Multicast-Dienstes (>IP, >multicast) ermög-
licht.

IIRC
if I recall correctly
(Akronym)

wenn ich mich recht erinnere

iMac
[**ai**mäck]
(Produktname)

Voll ausgerüsteter Preiswertrechner der Firma
Apple-Macintosh. Mit seinem futuristischen
Design, der hohen Taktfrequenz und dem inte-
grierten 56-kbps-Modem (>kbps, >V.90,
>modem) sollen vor allem Internet-Nutzer zum
Kauf animiert werden.

image map
[**imm**idsch mäpp]

"Bildatlas", "Karte"
Grafik auf einer >HTML-Seite mit Maus-sensib-
ler Oberfläche: Klickt man mit der Maus auf
eine beliebige Stelle des Gesamtbildes, so
gelangt man zu weiteren Informationen (>hyper-
link). Da aus Gründen der Datenmenge nicht
jeder Millimeter einer Oberfläche derartige
Links aufweisen kann, erscheint bei Kontakt,
zufällig oder wenn man bewusst sucht, ein Symbol, meist eine kleine Hand, um den User darauf
hinzuweisen, dass er sich jetzt auf einer anklick-
baren Stelle befindet.

IMBO
in my bloody opinion
(Akronym)

meiner verdammten Meinung nach

IME
in my experience
(Akronym)

nach meiner Erfahrung

IMHO
in my humble opinion
(Akronym)

meiner bescheidenen Meinung nach

IMNSHO
in my not so humble
opinion
(Akronym)

meiner nicht so bescheidenen Meinung nach

IMO
in my opinion
(Akronym)

meiner Meinung nach

inband signaling
[**inn**bänd **ß**ignəlling]

Tonwahl
Ein besonders in den USA verbreitetes Verfahren, bei dem die Ziffern einer Telekommunikationsnummer durch Tonimpulse mit einer fest vorgegebenen Tonfrequenz kodiert werden; vgl. >pulse signaling.

indexing
[**inn**däckßing]

Tätigkeit der >robot oder auch >spider genannten Software, das Internet nach neuen Web-Sites (>site) zu durchforsten. Beim Indexing wird der Datenbestand von Suchmaschinen (>search engine) und zum Teil auch Internet-Verzeichnissen (>directory) generiert. Die meisten Robots gehen dabei von umfangreichen Serverlisten (>server) aus, die z. B. die nationalen und internationalen Network Information Centers (>NIC) erstellen. Man unterscheidet Indexing im Volltextmodus, bei dem der gesamte Text aller Seiten einer Web-Site erfasst wird, und Indexing, bei dem nur zentrale Teile einer Web-Site (wie z. B. >URL und Titel der einzelnen Seiten) erfasst werden; vgl. >meta tag, >announcement service.

Infinite Monkey Theorem
[**inn**finətt **mann**ki θiərəmm]

etwa: **Theorem der unendlichen Anzahl von Affen**
"Wenn man eine unendliche Anzahl von Affen an Schreibmaschinen setzt, wird irgendwann einer von ihnen das Manuskript von Hamlet erstellen." Das Theorem sagt nichts über die Intelligenz des einen Zufallsaffen aus – es wird humorig Bezug auf das Theorem genommen, um eine "Brechstangen"-Methode zu rechtferti-

gen. In Abwandlung der unendlichen Anzahl von Affen wird behauptet, dass es keine unlösbaren technischen Probleme gibt, sondern dass nur genügend Mittel eingesetzt werden müssen.

information (super) highway
[innfəmehschn (ßuhpə) haiweh]

Datenautobahn

Hochgeschwindigkeitsdatennetz aus Glasfaserkabeln (>fiberglass cable), das als Grundlage jeglicher Kommunikation im 21. Jahrhundert dienen soll. Seit einigen Jahren das Schlagwort, das im übertragenen Sinn die moderne Informations- und Kommunikationsgesellschaft bezeichnet – inklusive, aber nicht ausschließlich das Internet – mit dem unterschwelligen Appell, dass man besser nicht zu denen auf den Daten-"Nebenstraßen" oder gar -"Feldwegen" gehören sollte.

Infoseek
[innfəßihk]
(Produktname)

Großes Suchverzeichnis (>directory), sowohl für das >World Wide Web als auch für Newsgroups (>newsgroup) und Firmenadressen (>Yellow Pages). Die Spezialität ist "Search-in-Context", ein Konzept der Informationssuche, das nicht nur die direkten Treffer der Suche anzeigt, sondern auch Themen aus dem Infoseek-Katalog, die mit dem gesuchten Begriff in Zusammenhang stehen. Der Suchdienst Infoseek ist inzwischen Teil des Web-Portals (>portal service) "Go Network", das durch eine Kooperation von Infoseek mit Disney entstanden ist.

infrastructure
[innfrəßtracktschə]

Infrastuktur

Alle Einrichtungen, Anlagen und Geräte, d. h. Hard- und Software in einem einzelnen Computer oder auch einem Computernetz (>network), die die Grundlagen für Datenverarbeitung und Datenaustausch darstellen. Zur Infrastruktur bei der Internet-Nutzung gehört sowohl der Browser (>browser = Software) als auch das Modem (>modem = Hardware).

inline images
[innlain immidschis]

Bilder, die in einem WWW-Dokument (>World Wide Web, >document) dargestellt werden.

interactive
[inntə(r)**äck**tiw]

interaktiv
Eigenschaft einer Software oder einer Web-Site
(>site), die Benutzereingaben zulässt und verarbeiten kann.

interface
[inntəfehß]

Schnittstelle
Das Übergangs- bzw. Verbindungsstück, durch
das Datenaustausch zwischen zwei verschiedenen Bereichen stattfindet. Dabei ist es unerheb-
lich, ob Hardware, Software oder noch andere
Bereiche gemeint sind oder ob zwischen Bereichen gleicher oder unterschiedlicher Kategorie
Daten ausgetauscht werden. Es kann ein Stecker,
eine Leitung gemeint sein, die Rechner und
Modem (>modem) verbindet, ein Software-
Modul, das Textverarbeitung mit Tabellenkalku-
lation verbindet, oder auch die Tastatur, die eine
Schnittstelle zwischen Mensch und Computer
darstellt.

internaut
[**innt**ənoht]
(Kunstwort)

>cybernaut.

Internet
[**innt**ənätt]
(Kunstwort)

Weltweiter Verbund von Computernetzwerken
(>network), an den tausende von Rechnern angeschlossen sind, die über das Internet-Protokoll
(>IP) miteinander kommunizieren.
Geschichte: 1957 gründeten die USA mit der
>ARPA eine neue Behörde innerhalb des Vertei-
digungsministeriums, die die amerikanische
Führung in Wissenschaft und Technologie für
das Militär nutzbar machen sollte. Diese
Behörde schuf 1969 mit dem ARPAnet ein
Computernetzwerk, das in erster Linie sicher-
stellen sollte, dass im Kriegsfall die militärischen Daten dezentral gespeichert waren. Eine
der wichtigsten Entwicklungen dieser Epoche
war der erste technische Übertragungsstandard
(>protocol), der es schon damals ermöglichte,
Computer verschiedener Hersteller miteinander
zu verknüpfen. In den Siebzigerjahren entwickelten amerikanische Universitäten die neuartige
Kommunikation per Computer weiter. 1971
schuf Ray Tomlinsen ein E-Mail-Programm,

um Botschaften durch ein Netzwerk schicken zu können. Es entstanden viele weitere Netze, sodass von e i n e m Internet eigentlich nicht die Rede sein konnte. Jedoch kommunizierten sie alle über den Internet-Protokollstandard.

In den Achtzigerjahren veränderte sich die Zusammensetzung der Netzbetreiber und -User (>user). Neben Wissenschaftlern, Universitätsangehörigen und Computerfirmen interessierten sich allmählich immer mehr kommerzielle Netzbetreiber für das Internet. Parallel entwickelten sich Technologien, die das Internet für den Privat-User benutzerfreundlicher machten: Der PC wurde Internet-tauglich, der Datentransfer über Telefonleitungen durch moderne Modems (>modem) schneller und auch sicherer. 1990 gelang Robert Cailliau und Tim Berners-Lee im europäischen Kernforschungszentrum in Genf (>CERN) eine bahnbrechende Entwicklung: das World Wide Web, ein auf Hypertext (>hypertext) basierendes Informations- und Quellensystem mit einer grafischen Benutzeroberfläche. Das "Surfen" (>net surfer) war geboren!

Heute ist das Internet ein Massenphänomen mit kommerziellen Anbietern und Providern (>provider), Suchmaschinen (>search engine) und Browsern (>browser), Newsgroups (>newsgroup) und FTP-Servern (>FTP server), elektronischen Zeitschriften (>e-zine) und geschäftlichen Transaktionen (>electronic commerce), und sogar Telefonieren über das Internet ist inzwischen möglich.

Internet 2
[inntənätt **tuh**]

Hochgeschwindigkeitsnetzwerk (>network), das mehrere Tausend Mal schneller ist als das Internet. Anfang 1999 haben 37 Universitäten, Forschungseinrichtungen und High-Tech-Unternehmen in den USA den Internet-2-Betrieb aufgenommen; zunächst allerdings nur zu Forschungszwecken.

Internet by call
[inntənätt bai **kohl**]

Bezeichnung für Internet-Zugänge, bei denen sich der Kunde fallweise durch Vorwahl einer fünfstelligen Kennziffer für einen Provider (>provider) entscheidet. Die Abrechnung enthält sowohl die monatlichen Gebühren für die online (>on-line) verbrachte Zeit als auch die in dieser Zeit angefallenen Telefongebühren.

internet carrier
[inntənätt **kärri**ə]

"Internet-Transportunternehmen"
Internet-Service-Provider (>provider), die ihr eigentliches Kerngeschäft um das bisher der Telekommunikation vorbehaltene erweitern – das heißt zunehmend eigene Leitungen aufbauen, um sich damit unabhängig von den Telekommunikationsunternehmen zu machen. Man unterscheidet weltweit auftretende Anbieter (global carrier) wie >UUnet von lokal auftretenden Anbietern (local carrier) wie Netcologne.

Internet Drafts
[inntənätt drahftß]

"Internet-Entwürfe"
Unverbindliche Arbeitspapiere der >IEFT zu den unterschiedlichen Internet-Technologien und -Standards, die meist über das Internet selbst verbreitet werden und eine maximale Gültigkeit von sechs Monaten haben. Sie bilden die Grundlage für die >RFCs.

Internet Explorer
[inntənätt ickß**plohr**ə]
(Produktname)

WWW-Browser (>World Wide Web, >browser) der Firma Microsoft (kurz IE), Konkurrenzprodukt zum >Netscape Navigator; vgl. >Active Desktop, >clear text authentication.

Internet in the Sky
[inntənätt inn θə **ßkai**]

"Internet im Himmel"
Ein von Europe Online im Jahre 1997 initiiertes Projekt, das einen Internet-Zugang via Satellit ermöglichen soll; vgl. >satellite transmission.

Internetiquette
[inntə**nätt**ickätt]
(Kunstwort)

>netiquette.

Internet Phone
[inntənätt fohn]
(Produktname)

Software der Firma VocalTec, die es ermöglicht, über das Internet zu telefonieren, wenn die beteiligten Rechner mit einer Soundkarte und einem Mikrofon ausgestattet sind. Das Produkt bietet im Gegensatz zu Browser-integrierten (>browser) Programmen einigen Komfort wie z. B. Voice Mail, Audio- und Videokonferenzen (>video conference) und Datenaustausch.

Internet Protocol
[inntənätt prohtəkoll]

Internet-Protokoll
>IP.

Internet Relay Chat
[inntənätt rihleh tschätt]

>IRC.

Internet Society
[inntənätt ßəßaiəti]

Internet-Gesellschaft
Organisation, die es sich zum Ziel gesetzt hat,
die Entwicklung und Nutzung des Internets zu
fördern; sie unterstützt zudem die ausführenden
Organe des >IAB. Abk.: ISOC.

Internet Time
[inntənätt taim]

Internet-Zeit
Zeitrechnung der Firma Swatch, welche den Tag
in 1000 >Swatch Beats unterteilt, um die unterschiedlichen Zeitzonen zu überwinden und praktisch die weltweit unterschiedliche reale Zeit zu
vereinheitlichen. So ist es gleichzeitig auf der
ganzen Welt beispielsweise "@500 Swatch
Beats".

Internet Worm
[inntənätt wöhm]
(Produktname)

Sich selbst reproduzierendes Programm, das es
fast geschafft hätte, das Internet durch Überlas-
tung zum Stillstand zu bringen. Gehört im
weiteren Sinn zur Kategorie der Computerviren
(>virus).

InterNIC
[inntənick]
Internet Network
Information Center

Tochterorganisation verschiedener amerikanischer Einrichtungen und Firmen (z. B. National
Science Foundation, Network Solutions,
AT&T), die statistische Informationen über das
Internet und seine Nutzung bietet. Die Organisation ist zudem der >IANA untergeordnet und für
die Vergabe und Registrierung von Internet-
Nummern zuständig. Die deutsche Entsprechung
ist das >DE-NIC (Deutsches Network Information Center); vgl. >NIC.

Intranet
[inntrənätt]

Ein Internet im Kleinen: ein geschlossenes kleines (Firmen)Netzwerk, das auf >TCP/IP basiert;
vgl. >Extranet.

IOW
in other words
(Akronym)

mit anderen Worten

IP
[ai-**pih**]
Internet Protocol

Internet-Protokoll
Netzwerkprotokoll, das Adressinformationen
enthält sowie Informationen, die es ermöglichen,
Datenpakete (>packet) zu routen (>router).
Eines der Protokolle (>protocol), auf denen das
Internet basiert; vgl. >TCP/IP und >TCP.

IP address
[ai-**pih** ədräss]

Internet-Protokoll-Adresse
Nummerisches Gegenstück des Domain-Namens
(>domain). Ist normalerweise für den User
(>user) nicht sichtbar, da er nur die leichter
verständliche Domain-Adresse sieht. Jeder
Computer im Internet ist durch seine Adresse
(>address), eine festgelegte, lange Zahlenfolge,
genau lokalisierbar.

IPng
[ai-**pih**-änn-**dschih**]
Internet Protocol next
generation

Internet-Protokoll der nächsten Generation
Neue Version des Internet-Protokolls (>IP), das
von einer Arbeitsgruppe des >IETF entwickelt
wird und bei der die IP-Adressen (>IP address)
aus sechs anstatt wie bisher aus vier Zahlen bzw.
aus 128 statt 32 Bit bestehen sollen, um mehr
Adressierungsmöglichkeiten für Web-Sites
(>site) zu schaffen.

IP-spoofing
[ai-**pih** ßpuhfing]

**"Schwindeln", "Hereinlegen", "Austricksen"
über IP**
Eine Hacker-Methode (>hacker), um uner-
wünscht in fremde Systeme einzudringen. Bei
dieser Methode wird der Ziel-Host (>host) mittels eines modifizierten Verbindungsprotokolls
(>protocol) hereingelegt, sodass er "glaubt", der
Eindringling sei jemand Berechtigter; vgl.
>spoofing.

IPv4
[ai-**pih**-wih-**foh**]
Internet Protocol
Version 4

Internet-Protokoll Version 4
1999 aktuelle Version des Internet-Protokolls
(>IP).

IPv6
[ai-**pih**-wih-**ßickß**]
Internet Protocol
Version 6

Internet-Protokoll Version 6
>IPng.

IPX
[ai-pih-**äckß**]
Internet Package
Exchange

etwa: **Internet-Paket-Austausch**
Ein von der Firma Novell definierter Standard
für die Datenübertragung. Er deckt die Schichten
2 und 3 des >OSI-Modells ab und ist deshalb
inkompatibel mit >TCP/IP.

IRC
[ai-ah-**ßih**]
Internet Relay Chat

Ermöglicht es den Usern (>user), im gesamten
Internet über die Computertastatur in Echtzeit
(>realtime) miteinander zu "chatten" (>chat).
IRC-Server (>server), von denen einige über
2000 Kanäle (>channel) anbieten, sind weltweit
auf verschiedene Netze verteilt. Die Teilnahme
an den Kanälen ist heutzutage über das WWW
(>World Wide Web) mithilfe von Chat-Plug-ins
(>plug-in) möglich. Auf manchen Web-Sites
(>site) laufen Chat-Module, über die man ohne
weiteres an einem Chat teilnehmen kann.

IRL
in real life
(Akronym)

im wirklichen Leben

IRTF
[ai-ah-tih-**äff**]
Internet Research Task
Force

etwa: **Internet-Forschungsgruppe**
Vereinigung von Programmierern und Wissenschaftlern, die im Bereich Netzwerkprotokolle
(>network, >protocol) für das Internet forscht;
Teil des >IAB.

ISDN
[ai-äss-dih-**änn**]
Integrated Services
Digital Network

Datenübertragungsprinzip, das im Gegensatz zu
herkömmlichen Telefonverbindungen mit digitalen Signalen (>digital) anstelle von analogen
Tonfrequenzen (>analogue) arbeitet und eine
sehr viel höhere Übertragungsgeschwindigkeit
erlaubt. Ein ISDN-Anschluss beinhaltet zwei
Datenkanäle, so genannte B-Kanäle (>bearer
channel) mit einer Übertragungsrate von jeweils
64 Kilobits pro Sekunde (>kbps), und einen
Steuerkanal (>D-Kanal). Bei Bündelung der beiden B-Kanäle kann eine Datenübertragungsrate
von 128 Kilobits pro Sekunde erreicht werden.

ISN
[ai-äss-**änn**]
Initial Sequence
Number

Nummer, die als erste einer Folge von Nummern
bei einer >TCP-Verbindung abgefragt wird.

ISO
[ai-äss-**oh** *oder* aißoh]
International
Standardization
Organisation

**Internationale Organisation für Standardisie-
rung, Internationale Normenorganisation**
Ein von der UNESCO eingerichteter internationaler Ausschuss, dessen Aufgabe darin besteht,
Normempfehlungen abzugeben beziehungsweise
Normen festzulegen. Viele Internet-Standards
unterliegen solchen ISO-Normen.

ISOC
[aißock]
Internet Society

Internet-Gemeinschaft
Unabhängige und nicht kommerzielle Internet-
Organisation, die sich mit der Weiterentwicklung des Internets befasst und Interessengemein-
schaften wie >IAB und >IETF unter einem Dach
vereint.

ISP
[ai-äss-**pih**]
Internet Service
Provider

"Internet-Dienstbereitsteller"
Firma oder Institution, die gegen Gebühr über
eigene Teilnetze Zugang zum Internet anbietet;
vgl. >IAP.

ISTM
it seems to me
(Akronym)

mir scheint

ISTR
I seem to recall
(Akronym)

ich glaube mich zu erinnern

ISWYM
I see what you mean
(Akronym)

Ich verstehe, was du sagen willst.

iToaster
[**ai**-tohßtə]
(Produktname)

Billigcomputer der US-Firma Microworkz. Das
Gerät, das weder Disketten- noch CD-Laufwerk
besitzt und auch ohne Bildschirm ausgeliefert
wird, soll von potentiellen Internet-Nutzern, die
ansonsten keinen Computer benötigen, gekauft
werden. Beim Start wird über das integrierte
Modem (>modem) automatisch der jeweilige
Internet-Provider (>provider) angewählt. Der
iToaster lässt sich an normale TV-Geräte
anschließen, sodass man sich den Kauf eines
Bildschirms sparen kann. Eine weitere Beson-
derheit ist, dass im iToaster kein Windows-

Betriebssystem (>OS) zum Einsatz kommt, sondern eine Mischung aus >Linux und >BeOS.

ITRO
in the region of
(Akronym)

in der Gegend von

ITRW
in the real world
(Akronym)

in der realen Welt

ITU-T
[ai-tih-**juh-tih**]
International
Telecommunications
Union - Section
Telecommunication

Jetziger Name des früheren "Comité Consultatif International Télégraphique et Téléphonique" (>CCITT). International beratender Ausschuss für den Telegrafen- und Fernsprechdienst, eine Unterorganisation der UNO: gibt Normenempfehlungen für die technischen Eigenschaften von Kommunikations-Endgeräten (Telefone, aber auch Modems (>modem)) und legt international die Sende- und Empfangsfrequenzen fest.

IVW
Informationsgemein-
schaft zur Feststellung
der Verbreitung von
Werbeträgern e.V.

Ein in Deutschland eingetragener Verein, der neben den Druckauflagen von Zeitschriften und Zeitungen auch die Abrufzahlen (>page view, >visit) von Internet-Angeboten nach einem standardisierten Zählverfahren erhebt und öffentlich zugänglich macht.

IWBNI
it would be nice if
(Akronym)

es wäre nett, wenn

IYSWIM
if you see what I mean
(Akronym)

wenn du weißt/Sie wissen, was ich meine

Jakarta
[dschə**kah**tə]
(Produktname)

Von Microsoft entwickelte und von Sun lizenzierte >Java-Version. Wird auch als "Visual Java" bezeichnet.

JAM
just a minute
just a moment
(Akronym)

einen Moment

JANET
[**dschänn**itt]
Joint Academic
Network
(Firmen-/Anbieter-
name)

Zusammenschluss von Internet-Diensten britischer Bildungs- und Forschungseinrichtungen
(z. B. Higher Education Funding Council for
England, Scotland and Wales)
Hinweis: Für den deutschsprachigen Raum gibt
es, nicht ganz deckungsgleich, den von vier
Schulbuchverlagen gegründeten Internet-Dienst
"Bildung Online", der sich als Forum für Schule
und Weiterbildung versteht.

Java
[**dschah**wə]
(Produktname)

Objektorientierte Programmiersprache der Firma
Sun Microsystems, die besonders geeignet ist
zur Entwicklung von interaktiven Programmen
(mit Grafiken, Animationen etc.) innerhalb von
Web-Seiten (>World Wide Web). Das Besondere
an Java-Programmen ist, dass sie unabhängig
vom jeweiligen Betriebssystem laufen, also z. B.
gleichermaßen auf Apple-Computern wie auf
Windows-PCs; vgl. >applet, >servlet, >Jini.

JavaScript
[**dschah**wəßkrippt]
(Produktname)

Ursprünglich von der Firma Netscape Communications Corporation definierte und am meisten
verbreitete Skriptsprache zur Verknüpfung von
Programmcode mit statischen HTML-Seiten
(>HTML); vgl. >script.

Java Virtual
Machine
[**dschah**wə **wöh**tschuəl
mə**schihn**]
(Produktname)

In einen Browser wie >Netscape Navigator oder
>Internet Explorer integrierte Software, die
Java-Applets (>applet) abarbeitet.

Jini
[**dschini**]

Auf >Java basierende Technologie, die von Bill
Joy, dem Mitgründer und Cheftechnologen der
Firma Sun, erfunden wurde. Jini soll eine
unkomplizierte Verbindung zwischen Computern, Druckern, Kameras und Elektrogeräten,
wie Kühlschränken und Toastern, ermöglichen.

Joe
[dschoh]
(Produktname)

>UNIX-Editor (>editor), der bei Internet-Nut-
zern sehr beliebt ist.

JPEG
[**dscheh**päg]
Joint Photographic
Experts Group

Gruppe, die den JPEG-Standard zur Bildkomprimierung eingeführt hat. JPEG-Dateien findet man aufgrund ihrer hohen Kompressionsrate bei guter Bildqualität sehr häufig im Internet.

JSP
[dscheh-äss-**pih**]
Java Server Page

"Java-Server-Seite"
Technologie, die auf Servlets (>servlet) beruht und eine serverseitige (>server) Kontrolle von Web-Seiten ermöglicht.

jump
[dschampp]

"Sprung"
Ausdruck für den Wechsel – den "Sprung" – von einem WWW-Link (>World Wide Web, >link) zum nächsten innerhalb einer Internet-Sitzung.

K12
[keh-**twälw**]
"kindergarden through
12th grade"

"Vom Kindergarten bis zur 12. Klasse"
Name mehrerer >Usenet-Newsgroups (>newsgroup), die sich mit bildungsrelevanten Themen befassen.

KA9Q
[keh-eh-**nain**-kjuh]

>TCP/IP-Ausführung für Amateur-Paket-Radio-Systeme (= Datenamateurfunk) – benannt nach dem Rufzeichen des Funkamateurs, der das "KA9Q Network Operating System" entwickelte.

kbps
[keh-bih-pih-**äss**]
kilobits per second

Kilobits pro Sekunde
Einheit für die Geschwindigkeit der Datenübertragung: 1 Kilobit sind 2 hoch 10 = 1.024 Bits (>bit).

Kermit
[**köh**mitt]
(Produktname)

Älteres Datenübertragungsprotokoll, das nach Kermit, dem Frosch aus der Muppet-Show, benannt wurde. Die Übertragungsgeschwindigkeit ist gegenüber anderen Protokollen (z. B. >Zmodem) eher gering. Wird heute nicht mehr eingesetzt und ist nur noch in bereits bestehenden Systemen anzutreffen.

kernel
[**köh**nl]

"Kern"
Bezeichnung für den Bereich, in dem die wichtigsten Befehle eines Betriebssystems (>OS), eines Netzwerks (>network) oder einer Anwendung (>application) enthalten sind, d. h. der Kernbereich, in dem zentrale Funktionen für alle anderen Bereiche abgewickelt werden.

key word
[kih wöhd]

Stichwort, Suchwort
Wird bei Datenbankrecherchen (>database) verwendet, um eine Suchanfrage zu definieren, so z. B. in >AltaVista, >Lycos, >Yahoo! etc.

kill file
[kill fail]

Vernichtungsdatei, Löschdatei
Liste, die Nachrichten von unerwünschten Absendern, Servern (>server) oder mit unerwünschten Themen ausfiltert und löscht. Vorausgesetzt, die Software unterstützt "kill files", werden alle Nachrichten von Personen und Servern, deren Adressen (>address) bzw. alle Themenbereiche, die sich auf dieser Liste befinden, wirksam vom Anwender/Auftraggeber ferngehalten. Wird häufig im >Usenet verwendet, aber auch in einer wachsenden Anzahl von Offline-Readern (>off-line reader).

kilobit
[killəbitt]

Kilobit
Maßeinheit für die Anzahl übertragener Daten, z. B. im >ISDN; ein Kilobit entspricht 1024 Bits (>bit).

kilobyte
[killəbait]

Kilobyte
Maßeinheit für die Größe eines Speichers; ein Kilobyte entspricht 1.024 Bytes (>byte); vgl. >megabyte, >gigabyte. Abk.: KB, Kbyte.

KISS
keep it simple, stupid
(Akronym)

Halt es einfach (, du Dussel)!
Nicht unfreundliche Bitte, etwas nicht zu kompliziert darzustellen.

kit
[kitt]

Zubehör, Ausrüstung, Bausatz
Computerzubehör und -ausrüstung; Zusammenstellung von Werkzeugen und Teilen, die nötig sind, um etwas ganz Bestimmtes zu bauen oder zu bearbeiten (z. B. Festplatteneinbau-Kit).

KIT
[kitt]
Kernel for Intelligent
Communication
Terminals

etwa: **Kernsoftware für intelligente (Kommunikations)Terminals**
Maus- und fensterorientierter Multimedia-Darstellungsstandard (>multimedia) für >T-Online, der den alten Standard >CEPT ersetzen bzw. ergänzen soll.

knowbot
[**noh**bott]
(Kunstwort)

Suchautomatismus (vgl. >bot), der Internet-Adressen sucht; ältere Bezeichnung für >agent.

L8R
"l-eight-r" = later
(Akronym)

später

LAN
[länn]
Local Area Network

etwa: **Nahbereichsnetzwerk**
Computernetzwerk (>network), das auf einen begrenzten örtlichen Bereich beschränkt ist und keine öffentlichen Leitungen (Telefon) benutzt. Die Ausdehnung kann sich auf ein Betriebsgelände, eine Schule, einen Raum etc. erstrecken. Gegensatz: >WAN, vgl. >AAN.

launch
[lohntsch]

Start
Zeitpunkt, zu dem eine Web-Site (>site) online (>on-line) geht, also zur allgemeinen Benutzung im Internet freigegeben wird. Der Ausdruck wird sowohl substantivisch als auch als Verb benutzt: Man spricht vom "Launch" einer Homepage (>home page), und auch davon, dass eine Homepage "gelauncht" wird.

LDAP
[äll-dih-eh-**pih**]
Lightweight Directory Access Protocol

Protokoll, das den Zugriff auf eine hierarchische Baumstruktur, in welcher Daten abgelegt und organisiert werden, definiert. LDAP wird z. B. in zentralen E-Mail-Verzeichnissen (>e-mail) wie "Bigfoot" oder "Verisign" verwendet.

leased line
[lihßt **lain**]

Standleitung
Gemietete Fernübertragungsleitung, d. h. eine permanente Verbindung, im simpelsten Fall zwischen zwei Rechnern oder Standorten (>site) im Internet, die jederzeit gegenseitigen Zugriff erlaubt.

LED
[äll-ih-**dih**]
Light Emitting Diode

Leuchtdiode
Vorrichtung, die Licht aussendet, wenn sie unter elektrischer Spannung steht. Wird oft bei Modems (>modem) als Zustandsanzeige (Betriebsart) verwendet. Spezielle LEDs werden auch bei Computer-Flachbildschirmen benutzt.

line noise
[**lain** nois]

Leitungsgeräusch
Interferenzen, Überlagerungen, Störungen im
Telefonnetz, die zum plötzlichen Verbindungs-
abbruch zwischen zwei Computern führen
können.

link
[link]

Verknüpfung, Bindeglied
>hyperlink; vgl. >anchor.

Linux
[**lihn**əckß]
Linus Thorvalds Unix
(Produktname)

An >UNIX angelehntes Betriebssystem (>OS)
für den PC, das von dem finnischen Studenten
Linus Thorvalds 1991 entwickelt wurde und sich
zunehmender Beliebtheit erfreut. Linux wird
kostenlos als Freeware (>freeware) vertrieben.

lion nose
[**lai**ən nohs]

"Löwennase"
Wortspiel, siehe unter >line noise.

LISTSERV
[**li**ßtßöhw]
*(Firmen-/Anbieter-
name)*

Verbreitetes automatisiertes >mailing list-Ver-
teilersystem. Das Programm kümmert sich auch
automatisch um Neu-Abonnements und Kündi-
gungen von Listen.

live cam
[**laiw** kämm]

Live-Kamera
>web cam.

local echo
[**lohk**l **äck**oh]

"lokales Echo"
Bei der Datenübertragung werden alle in einem
Terminal-Programm (>terminal) eingetippten
Zeichen am eigenen Monitor angezeigt, wenn
die Konfigurationseinstellung "local echo" auf
"on" steht. Da diese Zeichen von der Gegenstelle
oder dem Modem (>modem) zu Kontrollzwecken ohnehin gespiegelt werden, resultiert da-
raus ein "DDooppeell"-Effekt. Deshalb sollte
man aus Gründen der Lesbarkeit das "local
echo" auf "off" stellen bzw. bei einigen Anwendungen von ">half duplex" auf ">full duplex",
was dasselbe bewirkt; vgl. >remote echo.

local loop
[**lohk**l **luhp**]

"letzte/örtliche Schleife"
In der Telefonie, deren Netzwerkinfrastruktur
(>network) sich viele Provider (>provider)
bedienen, ist die Netzstrecke vom örtlichen
Hauptverteiler zum Endnutzer gemeint. Im

deutschsprachigen Raum wird sie häufig auch
als "letzte Meile" bezeichnet.

local newsgroup
[**lohk**l **njuhs**gruhp]

Eine >Usenet-Newsgroup (>newsgroup), die
sich nur auf dem eigenen Host (>host) befindet.
Viele Service-Provider (>provider) unterhalten
lokale Newsgruppen, die Informationen über
sich selber und entsprechenden Host-internen
Support (>support) bieten.

location
[loh**keh**schn]

"Ortsbestimmung", "Lokalisierung"
Begriff aus der Welt der FTP-Archive (>FTP),
der für die Angabe des Pfadnamens und des Ver-
zeichnisses steht, in dem eine Datei gefunden
werden kann.

log
[log]
(Kunstwort)

etwa: **Logbuch**
Eine Art Protokoll über sämtliche durchgeführten Dateiaktivitäten bei der Datenkommunikation, das in einer eigenen Datei (>logfile)
festgehalten wird.

logfile
[**log**fail]

Datei, in der sämtliche bei einer Online-Sitzung
(>on-line) durchgeführten Aktivitäten festgehalten
und auf der Festplatte gespeichert werden; >log.

login
[**log**inn]

Einloggen, Anmelden
Eintritt in ein Netzwerk (>network) oder Online-
System (>on-line), d. h. Anmelden beim betreffenden Server (>server, >host). Meistens muss
man sich identifizieren, um seine Teilnahmebe-
rechtigung nachzuweisen (in der Regel Eingabe
von Name, Adresse und/oder geheimem Kenn-
wort). Ausnahmen sind der Testbesuch in einer
Mailbox (>mailbox) (hier genügt die Eingabe
von "Gast") oder der Besuch eines >anonymous
FTP-Servers (Eingabe "anonymous").

login name
[**log**inn nehm]

Einlogg-Name
Benutzername (>username) bzw. Name eines
Accounts (>account), beispielsweise einer
Firma, der zu Identifikationszwecken beim Ein-
loggen (>login) in ein Online-System (>on-line)
abgefragt wird.

log off
[log **off**]

sich abmelden
Eine Online-Sitzung (>on-line) oder Netzwerk-
verbindung beenden, d. h. sich beim betreffenden Server (>server, >host) abmelden; vgl.
>login.

log on
[log **onn**]

anwählen
Ein Online-System (>on-line) anwählen.

LOL
1. laughing out loud
2. lots of love
(Akronym)

1. laut lachend; *etwa:* Da muss ich aber laut
lachen!
2. viele liebe Grüße

LPMUD
[**äll-pih**-madd]
LP-Multi User Dungeon

Eine Art des >MUD (Multi User Dungeon):
Spiel, an dem mehrere Spieler in einem Online-
System (>on-line) teilnehmen.
Benannt nach Lars Pens, der 1990 eine These
über objektorientiertes Programmieren erarbei-
tete und auf dessen Erkenntnissen Weiterentwicklungen der MUD-Spiele aufbauten.

lurker
[**löhk**ə]

"Lauerer"
Jemand, der in Newsgroups (>newsgroup),
Foren (>forum), Konferenzen (>conference)
oder Nachrichtenbereichen nur liest, aber nicht
aktiv daran teilnimmt. Jeder Neuling (>newbie)
betätigt sich einige Zeit als "Lurker" (to lurk =
lauern), allein um die Verhaltensregeln
(>netiquette) kennen zu lernen und die häufig
gestellten Fragen (>FAQ) zu lesen.

Lycos
[**lai**koss]
(Produktname)

Bekannte Suchmaschine (>search engine) im
Internet mit Datenbeständen in zahlreichen
Ländern (u. a. Deutschland, Frankreich, Groß-
britannien, Italien, Japan, USA).

Lynx
[linckß]
(Produktname)

Meistbenützter nichtgrafischer WWW-Browser
(>World Wide Web, >browser). Er bietet zwar
nicht die Möglichkeit, Grafiken oder sogar
Geräusche zu übertragen, ist dafür aber ein
schnelles und sehr effizientes Mittel, um im
WWW nach Textinformationen zu suchen.

MacPPP
[mäck-pih-pih-**pih**]

Das Macintosh-spezifische "Point to Point Protocol" (>PPP), das dazu dient, über eine gewöhnliche Telefonleitung Zugang zum Internet zu bekommen; vgl. >MacSLIP, >SLIP.

macro
[**mäck**roh]

Makro
Abfolge von Befehlen, die unter einem einzigen Befehlsnamen zusammengefasst sind und die man durch Eingeben eines Tastaturkürzels oder Anklicken eines Icons auslöst. Man kann z. B. eine langwierige Login-Prozedur (>login) durch einen kurzen Makrobefehl ersetzen. Manche Leute beziehen sogar ihr geheimes Passwort (>password) in ein derartiges Makro mit ein; dies ist aber aus Sicherheitsgründen nicht zu empfehlen.

MacSLIP
[**mäck**slipp]

Das Macintosh-spezifische "Serial Line Interface Protocol" (>SLIP), das dazu dient, über eine gewöhnliche Telefonleitung Zugang zum Internet zu bekommen; vgl. >MacPPP, >PPP.

MacTCP
[mäck-tih-ßih-**pih**]

Macintosh-Kontrollfeld für >TCP/IP, das auf älteren Macs noch verwendet wird. Neuere Rechner arbeiten mit >Open Transport (OT).

mail
[mehl]

Post
>e-mail.

mailbase
[**mehl**behß]

Eine Art von Mailing-Liste (>mailing list).

mail bombing
[**mehl** bomming]

etwa: **Postbombe**
Elektronischer Terrorismus: ein brutaler Angriff auf jemandes Mailbox (>mailbox) in Form von gigantischen, langen und absolut nutzlosen Nachrichten oder Dateien. Wird manchmal auch als Maßnahme gegen >spamming angewendet.

mailbox
[**mehl**bockß]

"Briefkasten"
1. Bereich auf einem Host-Rechner (>host), wo die elektronische Post (>e-mail) des Users (>user) verschickt und empfangen wird – eine Art elektronischer Mietbriefkasten.

2. Name für einen Online-Dienst; die Palette
reicht von kleinen, meist recht liebevoll gestalte-
ten Hobby-Mailboxen, die oft nur aus einem
Rechner und einem oder zwei Modems
(>modem) bestehen, bis hin zu großen, profes-
sionell aufgezogenen Support-Mailboxen
(>support); vgl. >BBS, >Z-Net.

mail gateway
[**mehl** gehtweh]

"Posttor"
Rechner, der E-Mails (>e-mail) zwischen zwei
oder mehreren verschiedenen E-Mail-Systemen
verteilt.

mailing list
[**mehl**ing lißt]

Postliste, Mailing-Liste
Per E-Mail (>e-mail) ausgetauschte Liste mit
Diskussionsbeiträgen zu einem bestimmten
Thema. Nach Anmeldung bei dem auf der jeweiligen Liste genannten "list server" erhält man
automatisch eine Kopie der laufenden E-Mail-
Korrespondenz zu dem gewünschten Thema in
den eigenen Briefkasten (>mailbox) geschickt;
vgl. >LISTSERV, >Majordomo.

mail server
[**mehl** ßöhwə]

Rechner eines Internet-Service-Providers
(>provider), über den der E-Mail-Verkehr
(>e-mail) abgewickelt wird.

mail storm
[**mehl** ßtohm]

"Poststurm"
Wortdreher, von "maelstrom" (Mahlstrom,
Strudel) beeinflusst. Was oft passiert, wenn ein
Rechner mit einer Internet-Verbindung und
aktiven Usern (>user) nach längerem Offline
(>off-line) wieder online (>on-line) geht: eine
Flut von ankommenden Sendungen, die den
empfangenden Rechner in die Knie zwingen
kann.

Majordomo
[mehdschə**doh**moh]
(Produktname)

Verbreitetes automatisiertes >mailing list-
Verteilersystem.

match
[**mätt**sch]

passen, übereinstimmen
Auch "matching"; Begriff aus der Suchmaschi-
nen-Sprache (>search engine), der die Überein-

stimmung mit dem eingegebenen Suchbegriff bezeichnet, z. B.:
"match all terms" = alle eingegebenen Suchbedingungen müssen gleichzeitig zutreffen;
"loose match" = die eingegebenen Suchbedingungen müssen nicht alle bzw. nicht alle gleichzeitig zutreffen.

MathML
[mäθämmäll]
Mathematical Markup Language

Mathematische Auszeichnungssprache
Eine sich noch in der Entwicklung befindende auf >XML basierende Standardsprache zur formatierten Darstellung von Dokumenten, mit der sich unter anderem mathematische Formeln beschreiben lassen.

MBONE
[**ämm**bohn]
Multicast Backbone
(Firmen-/Anbietername)

Experimenteller Internet-Dienst, der mithilfe der >multicast-Technologie Audio- und Video-Übertragungen in Echtzeit (>realtime) realisiert. Sendete mit den Rolling Stones 1994 das erste Live-Rockkonzert im Internet.

mbps
[ämm-bih-pih-**äss**]
megabits per second

Megabits pro Sekunde
Maßeinheit für die Geschwindigkeit der Datenübertragung: 1 Megabit sind 2 hoch 20 = 1.048.576 Bits (>bit).

megabyte
[**megg**əbait]

Megabyte
Maßeinheit für die Größe eines Speichers: 1 Megabyte = 1.024 Kilobytes = 1.048.576 Bytes; vgl. >byte, >kilobyte, >gigabyte. Abk.: MB, MByte, Mbyte.

Melissa
[məl**iss**ə]

Gutartiger Makrovirus (>virus), der sich als vertrauenswürdige E-Mail (>e-mail) in ein Computersystem einschleicht, sich von dort aus selbst an die ersten 50 Adressen (>address) aus dem E-Mail-Adressbuch des befallenen Windows-PCs versendet und Dokumente der Textverarbeitung MS-Word mit Simpsons-Zitaten versieht.

membership
[**mämm**bəschipp]

Mitgliedschaft
Im Internet sind einige Angebote nur zugänglich, wenn man vorher eine kostenlose oder kostenpflichtige Mitgliedschaft abgeschlossen hat.

menu
[**männ**juh]

Menü
Liste von Optionen, aus denen der User (>user) auswählen kann. Manche Menüpunkte verzweigen sich wiederum in Untermenüs. Nach diesem von Windows her bekannten Prinzip der Befehlsauswahl funktioniert auch die Befehlskommunikation vieler älterer Internet-Anwendungen, wie z. B. >Veronica und >Gopher.

Merchant Server
[**möh**tschnt ßöhwə]

etwa: **Handels-Server**
Kaufmännisches "Dienstprogramm", mit dem geschäftliche Transaktionen im Internet durchgeführt werden können; vgl. >server.

meta search engine
[**mätt**ə ßöhtsch **änn**dschinn]

Meta-Suchmaschine
Übergeordnete Suchmaschine (>search engine), die gleichzeitig mehrere Datenbanken bzw. Einzel-Suchmaschinen nach den eingegebenen Suchbegriffen durchforstet. Damit erspart man sich oft die aufwendige Suche nach der benötigten Information über die einzelnen Suchmaschinen. Beispiele sind: Inference, MetaCrawler, Highway61, SavvySearch, DisInformation.

MetaStream
[**mätt**əßtrihm]

Ein von den Firmen Intel und MetaCreations gemeinsam entwickeltes Streaming-Format (>streaming) zur stufenlosen skalierbaren Darstellung von 3D-Inhalten, das eine kontinuierliche Übertragung von beweglichen 3D-Darstellungen im Internet ermöglicht. Dadurch startet die Wiedergabe noch bevor die komplette Anwendung geladen ist.

meta tag
[**mätt**ə täg]

Auszeichnung <meta> im Kopf einer HTML-Seite (>HTML, >tag), die die Möglichkeit bietet, Suchmaschinen (>search engine) Stichwörter zur Verfügung zu stellen oder die Beziehung der Seite zu anderen Seiten zu definieren.

MFTL
my favorite toy language
(Akronym)

"meine Lieblingsspielzeugsprache"
Ausdruck aus der Welt der Programmiersprachen-Designer: Bezeichnet ursprünglich einen Programmiersprachenentwurf, der überladen ist mit Syntax, aber selten, wenn überhaupt, einen Inhalt besitzt. Im weiteren Sinne wird das

Akronym auf Gespräche angewandt, in denen
das Thema in unnötigen und übergenauen Details ertrinkt, denen jeglicher konzeptuelle Inhalt
zum Opfer fällt; abschließend könnte es dann
heißen: "Well, it was a typical MFTL-talk!".

MHS
[ämm-ehtsch-**äss**]
Message Handling
System

"Nachrichtenhandhabungssystem"
Datenaustauschkonvention, elektronisches
Mitteilungssystem, wobei Daten in einem einheitlichen Verfahren verwaltet, weitergeleitet
und identifiziert werden.

micropayment
[**maik**rohpehmənt]

Mikrozahlung
Elektronische Zahlungsweise im Internet für
kleine Beträge, die auf einem Guthabenkonto bei
einem Händler basiert. Der Kunde füllt dieses
Konto mit einem beliebigen Betrag auf, den er
anschließend häppchenweise verbrauchen kann;
vgl. >electronic cash.

Microsoft Network
[**maik**rəßofft **nätt**wöhk]
(Firmen-/Anbieter-
name)

Microsoft-Informationsdienst: Begann als
geschlossenes firmenspezifisches Netzwerk
(>Intranet) und hat sich zu einem großen,
modernen Internet-Service-Provider (>provider)
entwickelt. Abk.: MSN. Aus wirtschaftlichen
Gründen bietet MSN seit September 1998 keine
Netzzugänge mehr an.

millennium bug
[mill**änn**iəm bag]

"Millennium-Fehler", Jahr-2000-Problem
Aufgrund der Unachtsamkeit von Programmierern verarbeiten viele, teils hochsensible Re-
chenanlagen Jahresangaben nur mit zwei Ziffern.
Wenn Computer(systeme) in Verwaltungen,
Finanzunternehmen und Produktionsanlagen
dadurch das Jahr 2000 mit dem Jahr 1900 ver-
wechselten, weil "00" rein rechnerisch weniger
ist als "99", konnte das fatale Folgen haben.
Deshalb wurde vor der Jahrtausendwende fieber-
haft an der "Jahr-2000-Fähigkeit" von Systemen
und Programmen gearbeitet.

Millicent
[**milli**ßänt]
(Produktname)

Elektronisches Zahlungssystem im Internet, das
von der Firma Digital Equipment Corporation
für sehr niederpreisige Transaktionen im Bereich
des Informationsverkaufs (Zeitungsartikel, Lexi-

koneinträge u.v.m.) entwickelt wurde. Beruht
auf digitalen Zahlungseinheiten, die bei einer
Internet-Bank gegen echtes Geld getauscht werden können; vgl. >eCash, >CyberCoin.

MILNET
[**mill**nätt]
Military Network

Das US-amerikanische "Military Network" ist
ein Teil des Internets, der sich mit militärischen
Dingen befasst, die keiner Geheimhaltung unterliegen.

MIME
[**mai**mi]
Multipurpose Internet
Mail Extensions

Technik, Binärdateien (>binary file) an E-Mails
(>e-mail) anzuhängen. Von vielen als der
zukünftige Standard für das Versenden von
Dateien angesehen. Die beiden marktführenden
Browser (>browser), >Netscape Navigator und
Microsofts >Internet Explorer, die MIME
anwenden, mögen diese Entwicklung noch ver-
stärken. Aber auch der traditionelle Weg des
"UUencoding" (>UUencode) ist immer noch
sehr populär.

misc
[**miss**]
miscellaneous

"Vermischtes"
>Usenet-Newsgroup-Kategorie (>newsgroup),
die sich mit Themen beschäftigt, die man tradi-
tionell (z. B. in Zeitungen) unter der Rubrik
"Vermischtes" zusammenfasst.

MNP
[ämm-änn-**pih**]
Microcom Network
Protocol

Fehler korrigierendes Protokoll (>protocol) der
Firma Microcom für Modems (>modem).

mobile
[**moh**bail]

Mobiltelefon
Handliches Telefon mit leistungsfähigem Akku
für den mobilen Einsatz, das neben dem Telefonieren zunehmend auch als Zugangsgerät für das
Internet an Bedeutung gewinnt. Wird vor allem
im deutschsprachigen Raum umgangssprachlich
auch als Handy bezeichnet (was im Englischen
aber gar nicht "Mobiltelefon" bedeutet!).

mockingbird
[**mock**ingböhd]

"Spottdrossel"
Software, die die Kommunikation zwischen
Usern (>user) und Hosts (>host) unterbricht und
für die User System-simulierende Antworten

bereitstellt, während umgekehrt die Antworten der User abgefangen und gespeichert werden (besonders Identifikationsnummern und Passwörter) – eine besondere Art von Trojanischem Pferd (>Trojan horse). Es handelt sich zwar nicht um ein Virenprogramm (diese vermehren sich selbsttätig, >virus), aber ebenfalls um eine Software, die in der Regel keine freundlichen Absichten verfolgt.

mode
[mohd]

Modus, Art und Weise, Zustand
Betriebsart, einer von zwei oder mehreren möglichen Zuständen, der in der Regel einstellbar ist; z. B. "Empfang"/"Senden", "Schreiben"/"Nur Lesen", "Datenkompression ein"/"Datenkompression aus".

modem
[**moh**dämm]
(Kunstwort)

Zusammenziehung aus "Modulator" und "Demodulator". Weil Computer und das herkömmliche Telefonnetz unterschiedliche Techniken der Datenübertragung haben, nämlich >digital (Computer) und analog (>analogue; Telefonleitung), muss zwischen Rechner und Telefonnetz ein Modem geschaltet werden, das die digitalen Signale des Computers in akustische Signale umsetzt (moduliert) und am anderen Ende der Verbindung wieder in digitale Daten zurückverwandelt (demoduliert); vgl. >ISDN.

modem rack
[**moh**dämm räck]

"Modem-Regal"
Technische Anlage, deren Aufgabe es ist, eine Anzahl Modems (>modem) aufzunehmen und mit einem Rechner zu verbinden. Sie ermöglicht den gleichzeitigen Zugriff mehrerer User (>user) auf einen Server (>server). Solche Anlagen stehen normalerweise bei großen Anbietern wie Internet-Service-Providern (>provider) oder Online-Diensten (>on-line service provider).

moderator
[**modd**ərehtə]

Diskussionsleiter, Moderator
In einer Newsgroup (>newsgroup) Person, die einen Konferenz- oder Nachrichtenbereich entweder organisiert oder als Diskussionsleiter betreut. Es gibt moderierte und unmoderierte Newsgroups. In moderierten Newsgroups ent-

scheidet der Moderator, welche Nachrichten zum Thema passen und veröffentlicht werden. Er sortiert auch Doppelungen und Flames (>flame) aus.

MOO
[muh]
MUD Object-Oriented

"objektorientiertes MUD" – Variante der Adventure-Spiel-Kategorie >MUD (Spiel, an dem mehrere User (>user) gleichzeitig im Internet teilnehmen). Erweitert sie durch Objekte wie Grafiken und Sounds.

MORF
male or female?
(Akronym)

etwa: Männlein oder Weiblein?

Mosaic
[mohsehick]
(Produktname)

Das Freeware-Programm Mosaic (>freeware) ist ein Browser (>browser) für das >World Wide Web und der "Stammvater" aller modernen grafischen WWW-Browser. Es wurde für viele verschiedene Plattformen entwickelt, wie Windows, Amiga, X-Windows und Macintosh, und hat bis heute gültige Standards gesetzt. Weiterentwicklungen, die immer noch auf Mosaic basieren, sind >Netscape Navigator und >Internet Explorer von Microsoft; vgl. >NCSA.

Mosaic Netscape
[mohsehick nättßkehp]
(Produktname)

Älterer, die technische Herkunft bezeichnender Name des >Netscape Navigator; >Mosaic.

MOTOS
member of the
opposite sex
(Akronym)

vom anderen Geschlecht

MOTSS
member of the
same sex
(Akronym)

vom selben Geschlecht

Moving Worlds
[muhwing wöhlds]

Anregung von verschiedenen Firmen zur Erweiterung von >VRML: offene, plattformunabhängige Spezifikation zur Entwicklung dynamischer 3D-Umgebungen im Internet, die 1996 in den VRML 2.0-Standard eingeflossen ist.

MP1
[ämm-pih-**wann**]
MPEG-1

\>MPEG-1.

MP2
[ämm-pih-**tuh**]
MPEG-2

\>MPEG-2.

MP3
[ämm-pih-θ**rih**]
MPEG-1 Layer 3

\>MPEG-1 Layer 3.

MP3-Player
[ämm-pih-θ**rih** plehə]

1. MP3-Abspielprogramm
Software, die das Abspielen von MP3-Dateien
(>MPEG-1 Layer 3) auf einem Multimedia-
Computer (>multimedia) ermöglicht.

2. MP3-Abspielgerät
Tragbares Abspielgerät für MP3-Dateien.

MP3-Walkman
[ämm-pih-θ**rih**
wohkmən]

Tragbares Abspielgerät für MP3-Dateien
(>MPEG-1 Layer 3). Die Geräte verfügen über
einen fest eingebauten Speicher, der über den
PC mit neuen Musikstücken versorgt wird.

MPEG
[**ämm**päg]
Moving Pictures
Experts Group

Von der >ISO ins Leben gerufene Experten-
gruppe, die für die Standardisierung von Kom-
pressionsverfahren für Bewegtbilder u. a. zuständig ist; vgl. >JPEG.

MPEG-1
[**ämm**päg **wann**]

Format für komprimierte Video- und Audiodateien, das mit einer Datenübertragungsrate von
zirka 1,5 Megabit pro Sekunde (>mbps) vor
allem für die Speicherung auf >CD-ROMs als
geeignet gilt; auch MP1 genannt; vgl. >MPEG,
>MPEG-2, >MPEG-1 Layer 3.

MPEG-1 Layer 3
[**ämm**päg **wann** lehə
θrih]

Standardformat für komprimierte Audiodateien,
das im Rahmen der >MPEG vom Fraunhofer-
Institut entwickelt wurde und sich vor allem im
Internet verbreitete. Bei einer Kompressionsrate
von 12:1 lassen sich Musikstücke ohne Quali-
tätsverlust herunterladen (>download) und mit

meist kostenlosen >MP3-Playern (1.) oder
>MP3-Walkmans abspielen; auch MP3 genannt;
vgl. >MPEG-2.

MPEG-2
[**ämm**päg **tuh**]

Format für komprimierte Video- und Audiodateien, das mit einer Datenübertragungsrate von
zirka 4 Megabit pro Sekunde (>mbps) vor allem
für die Speicherung auf >DVD und die Verwendung im digitalen Fernsehen als geeignet gilt;
auch MP2 genannt; vgl. >MPEG, >MPEG-1,
>MPEG-1 Layer 3.

MPEG-7
[**ämm**päg ßewn]

Ein in Entwicklung befindliches Format für multimediale Inhalte (>multimedia), das vor allem
als für den Mobilfunkbereich geeignet gilt, allerdings erst im Jahre 2002 einsetzbar sein soll; vgl.
>mobile, >UMTS, >MPEG, >MPEG-1,
>MPEG-1 Layer 3.

MSN
[ämm-äss-**änn**]
*(Firmen-/Anbieter-
name)*

>Microsoft Network.

MTU
[ämm-tih-**juh**]
Maximum Transmission
Unit

maximale Übertragungseinheit
Größte Dateneinheit, die in einem vorgegebenen
System übertragen werden kann.

MUD
[madd]
Multi User Dungeon

etwa: **"(dunkles) Gewölbe für viele/mehrere
User (Spieler)"**
Textbasiertes Online-Rollen- und Abenteuer-
spiel (>on-line), an dem mehrere Spieler teilneh-
men können. Es gibt bereits den Nachfolger
MUD2, der einem in verschiedenen Online-
Systemen begegnet; vgl. >LPMUD, >MOO.

MUG
[ämm-juh-**dschih**]
Multi User Game

Mehr-Personen-Spiel
Jedes Spiel, bei dem in einem Online-System
(>on-line) zwei oder mehr Personen teilnehmen;
vgl. MUD.

multicast
[**mall**tikahßt]

Adressierungsart des >IP, bei dem ein Datenpaket an mehrere Empfängeradressen adressiert
und abgesendet wird. Solche Punkt-zu-Mehr-

punkt-Verbindungen werden vor allem verwendet, um das Datenvolumen beispielsweise bei Videokonferenzen (>video conference) zu begrenzen. Allerdings werden diese Datenpakete nicht von allen Routern (>router) korrekt behandelt; vgl. >anycast.

multi-homing
[**mall**ti-**hohm**ing]

>multi-hosting.

multi-hosting
[**mall**ti-**hohß**ting]

Fähigkeit eines Web-Servers (>server), mehr als eine Internet-Adresse (>IP address) und mehr als eine Domain (>domain) auf einem Server zu verwalten; vgl. >hosting.

multimedia
[**mall**timi**hd**iə]

Multimedia
Kombinierter Einsatz verschiedener digitaler (>digital) Medien wie Ton, Text, Grafik und bewegte Bilder; der Begriff wurde in Deutschland zum "Wort des Jahres 1995" erklärt.

Murphy's law
[**möh**fis **loh**]

Murphys Gesetz
Ironisches Schlagwort, das, etwas fatalistisch, benutzt wird, wenn etwas schiefgeht.
Der korrekte, originale Ausspruch von Edward A. Murphy Jr. lautet folgendermaßen: "Wenn es zwei oder mehr Möglichkeiten gibt, etwas auszuführen, und eine dieser Möglichkeiten endet in einer Katastrophe, dann wird es jemanden geben, der diese Möglichkeit wählt."

Edward A. Murphy Jr. war einer der Ingenieure des Raketenschlittenexperiments, das die US Air Force 1949 durchführte, um die Reaktion des menschlichen Organismus auf Beschleunigungskräfte zu testen. Bei einem der Experimente mussten als technische Vorbereitung 16 unterschiedliche Beschleunigungsmesser an verschiedenen Stellen des Körpers befestigt werden. Es gab zwei verschiedene Möglichkeiten, die Sensoren in ihrer Halterung anzubringen, und die mit der Arbeit betraute Person wählte genau die falsche Möglichkeit – ganz methodisch bei allen 16 Sensoren. Murphy tat daraufhin seine berühmte Äußerung. Die Testperson (Major John Paul Strapp) wiederholte sie ein paar Tage später auf einer Pressekonferenz, und damit nahm die weltweite Verbreitung des Ausspruches ihren Lauf.

nagware
[nägwäə]

"Nörgel-(Soft)ware"
Unterart der Shareware (>shareware), die beim Starten oder Schließen einen großen Dialogbildschirm präsentiert, der den User (>user) daran erinnert, sich registrieren zu lassen. Um im Programm fortfahren zu können, ist dann in der Regel noch ein besonderer Tastendruck erforderlich, der es unmöglich macht, diese Art von Programm im Batch-Verfahren (>batch) einzusetzen. Abhilfe: sich registrieren lassen.

NAK
[näck *oder* änn-eh-**keh**]
Negative Acknowledgement

"negative Empfangsbestätigung"
Element eines Protokolls (>protocol), das eine fehlerhafte Datenübertragung signalisiert; vgl. >ACK.

National Science Foundation
[**näsch**nəl **ß**aiənß faun**deh**schn]

US-amerikanische Regierungsbehörde, die maßgeblich an der Entwicklung des Internets, so wie wir es heute kennen, beteiligt war. Sie verwaltete bis 1995 eines der wichtigsten Backbones (>backbone) des Internets, das >NSFNET, und war ebenfalls maßgeblich an der Entwicklung der heutigen Internet-Backbone-Struktur in den USA beteiligt. Abk.: NSF.

NC
[änn-**ß**ih]
Network Computer

Netzwerkcomputer
Einfacher Rechner, der speziell für den Einsatz im Internet und in >Intranets entwickelt wurde. Er besitzt weder ein Betriebssystem (>OS) noch eine Festplatte, sondern lädt sich die jeweils notwendige Software direkt aus dem Internet. An der Entwicklung maßgeblich beteiligt sind die Firmen Oracle und Sun.

NCSA
[änn-**ß**ih-äss-**eh**]
National Center for Supercomputing Applications

Entwickler des >Mosaic-WWW-Browsers (>World Wide Web, >browser).

Negroponte, Nicholas

Gründer und Vorstand des Medienlabors im berühmten MIT (Massachusetts Institute of Technology).

Nelson, Ted

Prägte Mitte der 60er-Jahre den Begriff Hypertext (>hypertext), um seine Vorstellungen von miteinander verknüpfter und in Beziehung stehender Information auszudrücken.

nerd
[nöhd]

1. Abwertende Bezeichnung für jemanden, der zwar überdurchschnittlich intelligent ist, aber wenig begabt für Smalltalk und sonstige soziale Rituale; vgl. >geek.

2. In ironischer Anspielung auf (1.): lobende Bezeichnung für jemanden, der weiß, was wirklich wichtig und interessant ist, und den der "Lärm der Welt" nicht vom Wesentlichen ablenken kann. Wortverwendung so von Hackern (>hacker) geprägt, von denen einige sogar "Nerd Pride"-Buttons tragen, und nicht nur scherzhaft.

net
[nätt]

Netz
Kurz für Internet. Manche bezeichnen auch das >Usenet und den gesamten Cyberspace (>cyberspace) als das "net".

Netcaster
[nättkahßtə]
(Produktname)

Push-Technologie (>push technology) der Firma Netscape Communications Corporation, die in die Internet-Suite >Netscape Communicator integriert ist; vgl. >CDF.

Netcenter
[nättßänntə]
(Produktname)

"Netzzentrum"
Das "Eingangstor" (>portal service) der Firma Netscape Communications Corporation im >World Wide Web.

net god
[nätt god]

Netzgott
Persönlichkeit im Netz (>net), die bewundert und verehrt wird, entweder, weil sie an der Entwicklung von Teilen des Internets oder dort verwendeter Tools (>tool) beteiligt war, oder, weil sie auf irgendeine Art und Weise im Netz besonders präsent ist (z. B. als Diskussionsteilnehmer oder Publisher).

net guru
[**nätt** guhru]

Netzguru
Internet-Experte, der Respekt für sein umfassendes Wissen über das Netz (>net) genießt. Ein Netzguru kann der Autor eines oder mehrerer Internet-Bücher sein, ein Internet-Journalist oder einfach jemand, der über großes Wissen über das Internet verfügt, das er mit anderen teilt.

netiquette
[**nätt**ikätt]
(Kunstwort)

etwa: **Netz-Etikette**
Verhaltenskodex der Online-Gemeinschaft (>on-line), der den Umgang der Teilnehmer miteinander beim Versenden von E-Mails (>e-mail), im Internet Relay Chat (>IRC) und in den Newsgroups (>newsgroup) regelt.
So ist z. B. alles verpönt, was dem Empfänger einer Nachricht zu viel Speicherplatz und/oder Zeitaufwand zumutet: Streusendungen (>cross posting), Werbung, tausendmal gestellte Fragen (anstatt die >FAQ anzusehen), aufgebauschte Darstellungen (vgl. >ASCII art) statt kurzer Signaturen (>signature). Ebenfalls sollte man keine Lesbarkeitsprobleme verursachen, wie z. B. durch Umlaute; selbstverständlich zu vermeiden ist auch alles, was als unhöflich empfunden wird, wie Großbuchstaben (Schreien!) oder Flames (>flame).

netizen
[**nätt**isn]
citizen of the Net
(Kunstwort)

etwa: **"Netz-Bürger"**
Zusammenziehung aus "Net" = "Netz" (also das Internet) und "citizen" = "Bürger". Da der Begriff "Bürger" die Bedeutungsbereiche "Rechte", "Gesetze" und "Verpflichtungen" sowie Zugehörigkeit zu einer definierten Gemeinschaft (z. B. einem Staat) beinhaltet, soll mit diesem Kunstwort ausgesagt werden, dass alle das Internet benutzenden Menschen Mitglieder einer Gemeinschaft sind, was ihnen gewisse Rechte und Vorteile zugesteht, aber auch Verpflichtungen und Regeln auferlegt; vgl. >netiquette.

Netmanage Chameleon
[**nätt**mänidsch kəmihliən]
(Produktname)

Umfangreiche Internet-Zugangssoftware für Windows, die mehrere Funktionen abdeckt.

net police
[nätt pəlihß]

Netzpolizei
Geringschätziger Ausdruck für Leute, die es für ihre Pflicht oder ihr Recht halten, jedermann über das korrekte Verhalten in der Online-Gemeinschaft (>virtual community) zu belehren.

Netscape
[nättßkehp]
(Produktname)

Kurzname für das Produkt >Netscape Navigator.

Netscape Communicator
[nättßkehp kəmjuhnikehtə]
(Produktname)

Vollständige Internet-Suite der Firma Netscape Communications Corporation, die neben dem Browser (>browser) >Netscape Navigator das E-Mail-Programm Messenger, den HTML-Editor Composer und andere Programmteile enthält; vgl. >Andreessen, Marc.

Netscape Navigator
[nättskehp näwigehtə]
(Produktname)

Der erfolgreichste WWW-Browser (>World Wide Web, >browser) der Netscape Communications Corporation; vgl. >Andreessen, Marc, >Netscape Communicator. Konkurrenzprodukt ist Microsofts >Internet Explorer.

net surfer
[nätt ßöhfə]
(Kunstwort)

In Analogie zum Wellenreiter Bezeichnung für jemanden, der sich im Internet bewegt bzw. der auf dem Hyperlink-System (>hyperlink) "reitet", um nach interessanten Seiten Ausschau zu halten, nützliche Dateien zu sammeln oder um sich mit Leuten zu unterhalten (>chat).

network
[nättwöhk]

Netzwerk, Netz
Jede Gruppe von Computern, die miteinander kommunizieren und auch vorhandene Ressourcen (z. B. Drucker) gemeinsam nutzen können.

Network News
[nättwöhk njuhs]

Kurz für "Network News Transfer Protocol" (NNTP); Protokoll (>protocol), auf dem das >Usenet basiert und das über das Internet für den Nachrichtenaustausch zwischen den News-Servern (>news server) des Usenets sorgt.

newbie
[njuhbi]

Neuling, Anfänger
Bezeichnung für einen Neuling im Newsgroup-System (>newsgroup). Früher hatte das Wort einen leicht abschätzigen Beiklang, inzwischen

ist es aber ein gebräuchlicher Ausdruck für jeden, der sich seinen Weg durch den Cyberspace (>cyberspace) noch ertasten muss.

new media
[njuh mihdiə]

Neue Medien
Überbegriff für alle nach dem Fernsehzeitalter eingeführten neuen Medien wie >CD-ROM, >DVD, Internet und digitaler Hörfunk.

newsgroup
[njuhsgruhp]

Eine Art öffentliches schwarzes Brett zum Nachrichtenaustausch – ein von einem Thema bestimmter Bereich im >Usenet, bestehend aus Artikeln, Berichten und Briefen, die von den Teilnehmern verfasst wurden. Die Anzahl dieser Art virtueller Diskussionsgruppen ist enorm.

newsletter
[njuhslättə]

Nachrichtenrundschreiben
Findet im Internet zunehmend als abonnierbarer E-Mail-Service (>e-mail) Verbreitung. Vor allem Tageszeitungen und Magazine versuchen damit, die Besucher regelmäßig auf ihre Web-Seiten zu locken. Meist wird der eigentliche Inhalt durch eine kurze Zusammenfassung nur angerissen; vgl. >Dyson, Esther.

newsreader
[njuhsrihdə]

"Nachrichtenleser"
Software, die die Artikel eines News-Servers (>news server) darstellen kann. Mit ihrer Hilfe kann man in Newsgroups (>newsgroup) Nachrichten lesen und beantworten; vgl. >Free Agent.

news server
[njuhs ßöhwə]

Rechner, auf dem die verschiedensten Newsgroups (>newsgroup) zu finden sind. Meistens stellt der Internet-Service-Provider (>provider) seinen Kunden auch einen News-Server zur Verfügung. Die meisten News-Server sind nur einem registrierten User-Kreis (>user) zugänglich, aber es gibt auch eine Anzahl öffentlicher Server, deren Adressen (>address) allerdings aufgrund des großen Andrangs häufig wechseln.

NFS
[änn-äff-**äss**]
Network File System

Netzwerkdateisystem
Software, die die Benutzung von Dateien auf anderen Netzwerkrechnern so erlaubt, als befänden sie sich auf dem eigenen Computer.

NIC
[nick *oder* änn-ai-ßih]
Network Information
Center

etwa: **Netzwerkinformationszentrum**
Organisation, die u. a. als Dienstleistung statisti-
sche Informationen über das Internet und seine
Nutzung bietet. Bekannteste Funktion: zentrale
Vergabe von Domains (>domain) unterhalb der
Top-Level-Domain (>top level domain). NIC
allein ist dabei ein Oberbegriff, die tatsächlichen
Zuständigkeiten sind regional organisiert; so gibt
es für Deutschland z. B. das >DE-NIC und als
übergeordnete Organisation das >InterNIC.

NIFOC
nude in front
of computer
(Akronym)

nackt vor dem Computer

NNTP
[änn-änn-tih-**pih**]
Network News
Transport Protocol

>Usenet-Protokoll (>protocol), das im Internet
für den News- und Datenaustausch zwischen den
Servern (>server) sorgt. Rechner ohne direkte
Internet-Anbindung verwenden >UUCP.

no carrier
[noh **kärriə**]

keine Verbindung
Meldung, die am Bildschirm ausgegeben wird,
wenn die Verbindung zwischen dem Modem
(>modem) und dem angerufenen Computer
unterbrochen worden ist oder nicht zustande
kommt; vgl. >carrier.

node
[nohd]

"Knoten(punkt)"
Zentralrechner, der es dem Anwender ermöglicht, in einem Netzwerk (>network) mit anderen
Computern zu kommunizieren. Im Unterschied
zum Host (>host) handelt es sich um einen einzigen Rechner; vgl. >dial node.

NRAM
[**änn**-rämm]
Non-volatile Random
Access Memory

"nichtflüchtiger (RAM-)Speicher"
Speicher (>RAM) von Geräten wie z. B.
Modems (>modem), in dem vom Nutzer gewünschte und per Software einstellbare Geräte-
Eigenschaften abgelegt werden, die dann bei
einem Neustart des Systems ausgelesen und ausgeführt werden.

NRN
no reply necessary
(Akronym)

keine Antwort nötig

NSF
[änn-äss-**äff**]
National Science
Foundation

>National Science Foundation.

NSFNET
[änn-äss-**äff**-nätt]
National Science
Foundation Network

Das Netzwerk der >National Science Foundation
war eines der großen Netzwerke, aus denen das
Internet besteht. Seit seiner Gründung im Jahre
1986 wurde seine Kapazität mehrere Male auf-
gerüstet, um den wachsenden Datenverkehr
bedienen zu können. Als schließlich deutlich
wurde, dass nur eine neue Struktur den Erforder-
nissen der Zukunft würde gerecht werden können, wurde diese unter der Schirmherrschaft der
NSF entwickelt. Das NSFNET selbst wurde
1995 heruntergefahren und wenig später wieder
eröffnet, jedoch nicht mehr als Eckpfeiler des
US-amerikanischen Backbone-Datenverkehrs
(>backbone), sondern als Spezialnetz für Wissenschaft und Forschung.

NTP
[änn-tih-**pih**]
Network Time Protocol

"Netzwerk-Zeitprotokoll"
Protokoll (>protocol), das insbesondere bei einer
weltweiten Kopplung von Rechnern regelt, auf
welcher Zeitbasis gearbeitet wird. Das NTP
ermöglicht eine millisekundengenaue Abstim-
mung, was sehr wichtig ist für Vorgänge, an
denen gleichzeitig mehrere Rechner im Internet
beteiligt sind.

nuking
[**njuhk**ing]

Jemandem eine blaue Bombe (>blue bomb) senden; vgl. >WinNuke.

null modem
[**nall** mohdämm]

Kabel, das zwei Rechner über die serielle
Schnittstelle direkt, ohne ("null") Modem
(>modem), miteinander verbindet. Die Stecker
müssen so verdrahtet sein, dass bei jedem der
Drähte Sendepol auf Empfangspol trifft.

OAO
over and out
(Akronym)

Schluss und Ende
Übergabebefehl aus der Amateurfunksprache.

OBTW
oh, by the way
(Akronym)

ach, übrigens

OEM
[oh-ih-**ämm**]
Original Equipment
Manufacturer

etwa: **Verwender von Originalteilen**
Hersteller von Anlagen (Computersystemen),
deren Bestandteile Originalteile, also Markenar-
tikel von entsprechenden Zulieferern, sind. Letztere darf er nur für den Einbau in seine Anlagen
verwenden und sie nicht etwa als (vielleicht
übrig gebliebene) Einzelteile im Einzelhandel an
den Endverbraucher weiterverkaufen.

off-line
[**off**-lain]

"aus der Leitung", "nicht verbunden", offline
Bezeichnung dafür, dass ein Computer keinen
Kontakt (über die Telefonleitung) mit einem
Netz, einer Mailbox (>mailbox) etc. hat.

off-line reader
[**off**-lain rihdə]

Programm, das es ermöglicht, sich in einer Online-Verbindung (>on-line) alle Nachrichten und
E-Mails (>e-mail) herunterzuladen (>download),
diese dann offline (>off-line) zu lesen bzw. zu
beantworten, um schließlich die Antworten wieder online zu versenden. Ein Offline-Reader
hilft, Telefon- und Online-Dienstgebühren zu
sparen. Darüber hinaus wirkt er günstig auf die
Gesamtleistungsfähigkeit des Online-Dienstes.
Abk.: OLR.

OIC
oh, I see
(Akronym)

ja, ich verstehe

OLR
[oh-äll-**ah**]
Off-Line Reader

>off-line reader.

OMG
oh, my god
(Akronym)

oh, mein Gott!
Ausdruck von Schock oder Erstaunen.

on-line
[**on**-lain]

"in der Leitung", "verbunden", online
Bezeichnung dafür, dass Computer im Netz bzw.
mittels Modem (>modem) oder >ISDN (über die
Telefonleitung) miteinander kommunizieren.
Hinweis: Solange man online ist, läuft der
Gebührenzähler; vgl. >off-line, >off-line reader.

**on-line service
provider**
[**on**-lain **ßöh**wiss
prə**waid**ə]

Online-Dienst
Firma, die ein geschlossenes Computernetzwerk,
meist mit einem Gateway (>gateway) zum Internet, gegen Gebühr zugänglich macht; vgl. >AOL.

open source
[**ohp**ən **ßohß**]

"offene Quelle"
Bewegung, die auf die Kooperation von Programmierern zurückgeht, die den Quellcode
(>source code) der von ihnen programmierten
Software veröffentlichen. Dadurch sollen andere
Programmierer die Möglichkeit haben, ein Programm zu verbessern oder zu verändern. Das
bekannteste Programm, das im Rahmen der
Open-Source-Bewegung entstand, ist >Linux.

Open Transport
[**ohp**ən **trännß**poht]
(Produktname)

Netzwerktechnologie für Apple-Macintosh-
Rechner (>TCP/IP enthaltend), die u. a.
>multi-hosting ermöglicht. Seit Version 2.0
im Betriebssystem integriert (ab Mac OS 8.5);
kurz "OT".

Opera
[**opp**rə]
(Produktname)

Norwegischer WWW-Browser (>World Wide
Web, >browser), der im Gegensatz zu den popu-
lären Browsern >Internet Explorer und >Net-
scape Navigator nur wenige Megabyte (>mega-
byte) auf der Festplatte des Benutzers belegt.

optical waveguide
[**opp**tickl **wehw**gaid]

Lichtwellenleiter
Medium für die Datenübertragung in Glasfaser-
netzen (>fiberglass cable). Mithilfe von Lichtim-
pulsen sind über große Entfernungen hinweg
Übertragungsraten im Bereich Gigabyte pro
Sekunde (>gigabyte) möglich.

Orange Book
[**orr**əndsch buck]

Oranges Buch
1. Eine vom US-amerikanischen Verteidigungs-
ministerium entwickelte Spezifikation, die ein
mehrstufiges Sicherheitssystem betreffend

Computer-Netzwerke (>network) definiert. Die höchste Sicherheitsstufe wird als A1 bezeichnet, die niedrigste als D.

2. Von den Firmen Sony und Philips entwickelte Spezifikation für einmal beschreibbare CDs; vgl. >Green Book, >Red Book.

originate mode
[ǝ**ridsch**ǝneht mohd]

Sendemodus
Betriebsart, in der sich ein anrufendes Modem (>modem) normalerweise befindet. Gegensatz: Empfangsmodus (>answer mode) des angerufenen Modems.

OS
[oh-**äss**]
Operating System

Betriebssystem
Teil der Systemsoftware eines PCs, der das Bindeglied zwischen Hardware und Anwendungssoftware bildet und das Zusammenspiel der Betriebsmittel wie Prozessor (>processor), Speicher und Peripheriegeräte (>peripheral devices) steuert und überwacht. Über eine Kommandoorientierte beziehungsweise grafische Schnittstelle kann der Anwender Leistungen des Betriebssystems anfordern. Die bekanntesten Systeme sind MS-DOS und Windows 95/NT von Microsoft, Mac OS von Apple sowie >UNIX, das aus dem universitären Bereich kommt.

OSI
[oh-äss-**ai**]
Open Systems
Interconnection

etwa: **Verbindung offener Systeme**
Internationaler Standard für den Datenaustausch in Netzwerken (>network). OSI wird in sieben Schichten dargestellt, die die einzelnen Kommunikationsprozesse beschreiben; vgl. >TCP/IP.

OSPF
[oh-äss-pih-**äff**]
Open Shortest Path
First

"Öffne den kürzesten Pfad zuerst"
Standardprotokoll der >IETF für IP-Backbones (>IP, >backbone), mit denen sich Router (>router) gegenseitig über die besten Routen auf dem Laufenden halten.

OTOH
on the other hand
(Akronym)

andererseits

OTT
over the top
(Akronym)

(stark) überzogen

Outlook
[**aut**luck]
(Produktname)

Kostenpflichtiges E-Mail-Programm (>e-mail)
der Firma Microsoft, das >Outlook Express um
eine Termin- und Kontaktverwaltung ergänzt.

Outlook Express
[**aut**luck ick**ßpräss**]
(Produktname)

Das E-Mail- und Newsprogramm des >Internet
Explorer (ab Version 4.0), mit dem man Mails
(>e-mail) austauschen, Beiträge zu Newsgroups
(>newsgroup) liefern oder Nachrichten aus diesen lesen kann, Letzteres sogar offline.

outsourcing
[**aut**ßohßing]

Der aus "out" = "hinaus" und "source" =
"Quelle" zusammengesetzte Begriff aus dem
Betriebswirtschafts-Jargon bezeichnet eine
immer beliebter werdende Methode zur Effekti-
vitätssteigerung: Dabei werden Arbeiten oder
Funktionen aus der Firma nach außen verlagert,
d. h. anstatt eine Aufgabe von einem fest ange-
stellten Mitarbeiter (vgl. >telecommuting) erledigen bzw. eine Funktion durch eine bestimmte
Abteilung ausführen zu lassen, beauftragt das
Unternehmen einen externen Dienstleister, der
nicht ständig, sondern nur dann bezahlt werden
muss, wenn die Arbeit auch wirklich anfällt.
Während die ersten derartigen Schritte Reini-
gungspersonal u. Ä. betrafen, wird seit Internet,
Online etc. das Outsourcing auch für komplette
inhaltlich arbeitende Bereiche wie Schreibbüros,
Grafik-Dienstleistungen, Recherche etc. immer
interessanter, denn man kann via >Intranet und
>Extranet trotz räumlicher Entfernung ständig
mit der Firma in Verbindung sein.

p2p auction
[pih-tu-**pih** ohckschn]
person-to-person-
auction

"Person-zu-Person-Auktion"
Internet-Auktion, bei der private Ware unter
Privatpersonen versteigert wird, beispielsweise
über >eBay; vgl. >b2p auction, >b2b auction.

packet
[**päck**itt]

"Paket", "Päckchen"
Datenpaket, das klein genug ist, um zügig und
sicher über das Internet übertragen zu werden.

Packet Internet Groper
[**päck**itt **innt**ənätt grohpə]

>PING.

page impression
[**pehdsch** imm**präschn**]

"Seitenkontakt"
>page view.

page view
[**pehdsch** wjuh]

"Seitenaufruf"
Einheit zur Messung der Seitenaufrufe einer Web-Site (>site) oder einzelner Web-Seiten, bei der Sichtkontakte beliebiger Benutzer mit einer meist werbeführenden HTML-Seite (>HTML) gezählt werden; vgl. >visit.

parity bit
[**pärr**əti bitt]

Prüfbit, Paritätsbit
Prüfbit, das an einen gesendeten Datenblock zu Kontrollzwecken angehängt wird.

password
[**pahß**wöhd]

Passwort
Sicherheitskennwort, das beim Einloggen (>login) in ein System eingegeben werden muss. Während das Einloggen lediglich der Identifizierung (Name, Funktion, Adresse, Mitgliedsnummer etc.) dient, soll das Passwort – es ist in der Regel geheim – Ausschließlichkeit und Diskretion, also Datensicherheit, gewährleisten. Ein Beispiel aus dem Alltagsleben ist die Geheimzahl am Bankautomaten.

path
[pahθ]

Pfad
Wegangabe durch die Verzeichnishierarchie, mithilfe derer bestimmte Dateien auf einem Datenträger wie einem Server (>server) gesucht, gespeichert oder abgerufen werden; vgl. >absolute path, >relative path.

PC User Group
[pih-**ßih** juhsə gruhp]
(Firmen-/Anbietername)

Anbieter für verschiedene Internet-Zugänge in Großbritannien. Ihre Connect-Mailboxen (>mailbox) ermöglichen einen vollwertigen Internet-Zugriff.

PD
[pih-**dih**]

>public domain.

PDF
[pih-dih-**äff**]
Portable Document
Format

"Übertragbares Dokumentenformat"
Plattformübergreifendes Dokumentenformat der
Firma Adobe Systems, mit welchem sich aus
Texten, Bildern und Grafiken bestehende Dokumente erzeugen und darstellen lassen. Die dar-
stellende Software Adobe >Acrobat Reader ist
kostenlos im Internet erhältlich.

peer-to-peer
network
[piə-tu-**piə nätt**wöhk]

"Gleich-zu-Gleich-Netzwerk"
Nicht-hierarchisches Netz (>network), in dem
die verbundenen Rechner stets gleichberechtig-
ten Zugriff auf die anderen Rechner des Netzes
haben. Jeder ans Netz angeschlossene Rechner
kann sowohl die Funktion eines Servers als auch
die eines Clients (>client-server) wahrnehmen.

performance
[pə**foh**mənß]

Darstellung, Leistung, Ausführung
Allroundwort mit breitem Bedeutungsspektrum,
z. B. zur Bezeichnung der Darstellungsqualität
einer Oberfläche oder Web-Seite im Hinblick
auf Geschwindigkeit, Bedienungskomfort, ästhe-
tische Gefälligkeit, Vielseitigkeit etc. Wird auch
im Zusammenhang mit rein technischer Funktio-
nalität und Effektivität verwendet.
Eine "gute Performance" hat die entsprechenden
Eigenschaften zur Zufriedenheit, eine "schlechte
Performance" lässt sie vermissen.

peripheral devices
[pə**riff**ərəl di**wai**ßis]

Peripheriegeräte
Terminus für alle an einen Computer ange-
schlossenen Geräte zur Eingabe (zum Beispiel
Tastatur), Ausgabe (zum Beispiel Drucker),
Speicherung (zum Beispiel Festplatte) und zur
Datenkommunikation mit anderen Systemen
(zum Beispiel Modem (>modem)).

PERL
[pöhl]
Practical Extension and
Report Language

"Praktische Erweiterungs- und Berichts-
sprache"
Eine frei verfügbare Programmiersprache, die
besonders beim Schreiben von CGI-Skripten
(>CGI, >script) auf Internet-Servern (>server)
gerne verwendet wird.

personalize
[pöhßnəlais]

etwa: **anpassen**
Begriff, der das Anpassen von Software-Ober-
flächen und -Funktionen an die persönlichen
Vorlieben des Users bezeichnet; auch customize.

PGP
[pih-dschih-**pih**]
Pretty Good Privacy
(Produktname)

Kryptographie-Programm (>cryptography), welches primär dazu dient, elektronische Nachrichten (>e-mail) zu verschlüsseln beziehungsweise
mit einer Kennzeichnung zu versehen, um die
Authentizität des jeweiligen Absenders festzustellen. Verschlüsselungsprogramme sind staatli-
chen Stellen meist ein Dorn im Auge und unterliegen häufig strengen Exportverboten. Auch
gegen Phil Zimmermann, den Erfinder von PGP,
wurde vonseiten der amerikanischen Regierung
jahrelang ermittelt; vgl. >clipper chip.

PHP
[pih-ehtsch-**pih**]
Professional Home
Page

"Professionelle Homepage"
Serverseitige (>server) Skriptsprache zur Erstellung datenbankgestützter und dynamischer
Web-Sites (>site). PHP stammt ursprünglich von
Rasmus Lerdorf, der 1995 eine Sammlung von
Makros, die er Personal Home Page Tools
nannte, veröffentlichte; sie wurde später von
einem Entwicklungsteam komplett neu geschrieben; vgl. >script.

phreaking
[**frih**king]
(Kunstwort)

Bezeichnung für einen Trick beim Telefonieren,
der es ermöglicht, das Zahlungssystem der Betrei-
bergesellschaft zu umgehen. "Telefon-Phreaking"
war der Vorläufer des Hackens (>hacker).

PICS
[pickß]
Platform for Internet
Content Selection

etwa: **Plattform zur Auswahl von Internet-**
Inhalten
>XML-Sprache, die es WWW-Autoren (>World
Wide Web) erlaubt, den Inhalt ihrer Web-Seiten
zu bewerten, um beispielsweise mit Filtersyste-
men Kinder vor jugendgefährdenden Inhalten zu
schützen.

PIN
[pinn]
Personal Identification
Number

Persönliche Identifikationsnummer
Kommt insbesondere beim Homebanking
(>homebanking) zum Einsatz und ist mit einer
Geheimzahl vergleichbar, die anstelle eines
Namens eingegeben wird; vgl. >TAN.

PING
[ping]
Packet Internet Groper

Ein Programm, das durch Versenden von Testda-ten im Internet "herumtastet" (to grope = tasten), um festzustellen, ob eine Zieladresse (>address) existiert bzw. betriebsbereit ist. Beruht auf dem >ICMP-Protokoll.

PIPEX
[**paip**äckß]
*(Firmen-/Anbieter-
name)*

Einer der Hauptanbieter von Internet-Zugängen Großbritanniens auf dem Sektor Firmen/Wirt-schaft.

PITA
pain in the arse
(Akronym)

"Schmerz im Hintern"
ärgerliche Sache, auf Personen bezogen: Nervensäge.

plug-in
[**plag**-inn]

Zusatzprogramm für einen Web-Browser (>World Wide Web, >browser), das es dem Browser ermöglicht, Extrafunktionen darzustel-len, die nicht im >HTML-Format vorliegen, wie etwa in Web-Seiten enthaltene Tonelemente, Video-Clips, 3D-Bilder (>three-dimensional) oder Multimedia-Elemente (>multimedia). Ein Plug-in integriert sich voll in die Oberfläche der betreffenden Software und ist nicht ohne weite-res als Zusatz zu erkennen.

POD
piece of data
(Akronym)

"ein Teil Daten", Dateifragment

pointer
[**point**ə]

"Zeiger", "Markierer"
System, das Dateien kennzeichnet: Es ermög-licht einem Online-System (>on-line), sich Dateien zu merken, die ein User schon gelesen hat, sodass er diese beim nächsten Einloggen (>login) nicht noch einmal vorgelegt bekommt.

policy
[**poll**əssi]

"Politik", "Richtlinie"
>acceptable use policy.

polling
[**pohl**ing]

Abfragen
Regelmäßige Abfrage bei einem Online-System (>on-line) nach eingegangenen E-Mails (>e-mail) o. Ä., die gegebenenfalls heruntergela-den werden (>download).

POP
[popp]
1. Post Office Protocol
2. Point Of Presence

1. "Postamtsprotokoll"
Internet-Protokoll (>protocol), mit dem ein
Mail-Server (>mail server) arbeitet

2. "Anwesenheitsstelle"
Lokaler Einwahlknoten (>node) in das Internet,
den ein Internet-Service-Provider (>provider)
seinen Kunden zur Verfügung stellt. User
(>user), die sich am selben Ort befinden wie der
POP ihres Providers, kommen zum Ortstarif
(der Telekom) ins Internet.

port
[poht]

"Tor"
Ein-/Ausgabekanal eines Netzwerk-Computers
(>network), auf dem >TCP/IP ausgeführt wird.
Im >World Wide Web ist in der Regel die Port-
Nummer (>port number) des Servers (>server)
gemeint.

portal service
[pohtl ßöhwiss]

"Eingangstor"
Web-Site (>site), deren Anbieter versucht, möglichst vielen Benutzern als Einstieg ins Internet
zu dienen. Dies soll durch die Integration von
Serviceangeboten wie Suchmaschinen (>search
engine) oder kostenlosen E-Mail-Accounts
(>e-mail, >account) erreicht werden. Immer
beliebter wird in diesem Zusammenhang auch
die Auslieferung von Browsern (>browser)
durch Zeitschriften oder Online-Dienste, die die
Standardstartseite im Browser mit der eigenen
Web-Adresse vorkonfigurieren.

portal site
[pohtl ßait]

"Eingangstor"
>portal service.

port number
[poht nammbə]

"Pforte", "Tor", "Einlassnummer"
Identifiziert das Weiterleitungsziel von eingehenden Daten: Eine Port-Nummer befindet sich
im Header (>header) des >TCP-Protokolls und
legt fest, zu welchem Anwendungsprogramm
eine eingehende Datei innerhalb eines Netzwerks (>network) geschickt werden muss, damit
sie gelesen, geöffnet und verarbeitet werden

kann. Auf die Weise weiß der Rechner, dass er z. B. eingehende E-Mail (>e-mail) an das entsprechende E-Mail-verarbeitende Programm weiterleiten muss. Die einzelnen Port-Nummern bezeichnen im ganzen Internet jeweils dieselben Programme. So führt 25 immer zu E-Mail-verarbeitenden Programmen, 119 immer zu News-Verarbeitung etc.

Der User (>user) hat in der Regel jedoch mit Port-Nummern wenig zu tun, da die beteiligten Programme und Protokolle dies selbsttätig unter sich ausmachen.

post
[pohßt]

versenden
Eine Nachricht versenden und verbreiten, entweder durch E-Mail (>e-mail), in einer Newsgroup (>newsgroup) oder in Nachrichtenbereichen wie Foren (>forum) oder Konferenzen (>conference).

postmaster
[**pohßt**mahßtə]

"Postmeister"
Verantwortlicher Betreuer eines Mail-Servers (>mail server) im Internet.

PPP
[pih-pih-**pih**]
Point to Point Protocol

"Punkt-zu-Punkt-Protokoll"
Übertragungsprotokoll, mit dem man sich über die Telefonleitung in das Internet einwählen kann. Regelt die Verbindung zwischen dem Rechner des Internet-Service-Providers (>provider, vgl. >node, >POP) und dem Computer des Anwenders; vgl. >SLIP.

Pretty Good Privacy
[**prit**ti gud **pr(a)i**wəssi]
(Produktname)

>PGP.

private key
[**prai**wət **kih**]

privater Schlüssel
Einem Empfänger eineindeutig zugewiesener, nur ihm bekannter Schlüssel, mit welchem er eine elektronische Botschaft (>e-mail), die ihm mittels seinem öffentlichen Schlüssel (>public key) zugeschickt wurde, entschlüsseln kann; vgl. >public-key encryption.

processor
[**proh**ßässə]

Prozessor
Herzstück des Computers, das für die Durchführung des Datenverarbeitungsprozesses zuständig ist. Die jeweils benötigten Daten und Programme erhält der Prozessor vom Arbeitsspeicher.

profile
[**proh**fail]
(Kunstwort)

Im Internet-Kontext Kunstwort aus "file" (Datei) und "profile" (Profil). Kontrolldatei, die meistens dazu eingesetzt wird, um die persönlichen Voreinstellungen eines Users (>user) zu verwenden, wenn er sich in ein Online-System (>on-line) einwählt.

Project Gutenberg
[**prod**schäckt
guhtnböhg]

Organisation, die es sich zur Aufgabe gemacht hat, möglichst viele Copyright-freie (>copyright) Werke der Literatur in elektronischer Form ins Internet zu stellen.

PROM
[**promm**]
Programmable
Read-Only Memory

pogrammierbarer Nur-Lese-Speicher
Bezeichnung für Speicherchips, die nur einmal beschrieben und auf denen die Daten oder Programme auch nach dem Herstellungsprozess noch durch spezielle Programmierung abgelegt werden können; vgl. >ROM, >EPROM, >RAM.

Prospero
[**pross**pəroh]

Übertragungsprotokoll (>protocol) von >Archie-Diensten, welches auf mehrere Rechner verteilte virtuelle Verzeichnisbäume ermöglicht. Für den Anwender erscheint nur ein Verzeichnisbaum.

protocol
[**proh**təkoll]

Protokoll
Standards und Konventionen, die die Datenübertragung zwischen Computern regeln und durch ihren Status als Standards die Zuverlässigkeit und Übertragungsgeschwindigkeit des Datentransfers gewährleisten. Jeder Übertragung, z. B. einer Web-Seite (>World Wide Web), wird im Adressfeld (>address) in einem formellen Satz der Name des betreffenden Übertragungsprotokolls vorangestellt. Beispiele für in Zusammenhang mit dem Internet relevante Protokolle sind >FTP, >HTTP, >SLIP und >PPP.

provider
[prəwaidə]

"Lieferant", "Versorger"
Jede Organisation bzw. jede Firma, die Verbindungen zum Internet oder Teilen davon anbietet;
vgl. >on-line service provider.

proxy server
[prockßi ßöhwə]

Server eines Providers (>server, >provider), der
für den User (>user) eine Art Vorauswahl trifft.
Der Rechner des Users nimmt zunächst nicht
direkt Kontakt mit Internet-Rechnern auf, sondern bedient sich aus dem eingeschränkten
Angebot des Proxy-Servers (proxy = Stellvertre-
ter, Bevollmächtigter).
Der scheinbare Nachteil bietet auch Vorteile:
Das Angebot eines Proxy-Servers dient auch als
eine Art Zwischenspeicher für oft abgefragte
Seiten des Internets, und der Zugriff des Users
erfolgt in der Regel schneller als bei direktem
Zugriff.

public domain
[pabblick dəmehn]

"der Öffentlichkeit zugänglicher Bereich"
Software, die von ihren Autoren/Entwicklern
ohne jede Einschränkung der Öffentlichkeit zur
Verfügung gestellt wird und deren Nutzung nicht
bezahlt werden muss; >shareware, >freeware;
Abk.: PD.

public key
[pabblick kih]

öffentlicher Schlüssel
Einem Empfänger eineindeutig zugewiesener,
allgemein bekannter Schlüssel, mit welchem der
Absender elektronische Nachrichten (>e-mail)
verschlüsselt; vgl. >private key, >public-key
encryption.

public-key
cryptography
[pabblick-kih
kripptoggrəfi]

"Verschlüsselung mit öffentlichem Schlüssel"
>public-key encryption.

public-key
encryption
[pabblick-kih
inkrippschn]

"Verschlüsselung mit öffentlichem Schlüssel"
Verschlüsselungstechnik (>encryption) von
Diffie und Hellmann, die auf einem öffentlichen
Schlüssel (>public key) und einem vertraulichen
Schlüssel (>private key) basiert. Für die Ver-
schlüsselung einer elektronischen Nachricht
(>e-mail) ist lediglich der öffentliche Schlüssel

notwendig, für die Entschlüsselung durch den
Empfänger muss zusätzlich der vertrauliche
Schlüssel bekannt sein; vgl. >RSA, >PGP,
>DES.

pulse signaling
[**pallß** ßignəling]

Pulswahl
Relativ veraltetes Verfahren, bei dem die einzelnen Ziffern einer Telekommunikationsnummer
durch künstlich erzeugte Kurzschlussimpulse
kodiert werden; vgl. >inband signaling.

push technology
[**pusch** täck**noll**ədschi]

"Push-Technologie"
Technologie, die den Abonnenten bestimmter
Nachrichtendienste, Fernsehmagazine oder
anderer Angebote in vorgegebenen Intervallen
automatisch Informationen zukommen lässt. Die
beiden Browser (>browser) >Internet Explorer
und >Netscape Navigator verwenden beispielsweise solche Push-Technologien; vgl. (>CDF,
>Netcaster).

QTD
[kjuh-tih-**dih**]
Quote of The Day

Zitat des Tages
Relikt aus Mailboxen (>mailbox), das heute vor
allem in E-Mail-Signaturen (>e-mail, >signa-
ture) verwendet wird: Über einen in ein Mail-
Programm integrierten Zufallsgenerator wird am
Ende einer Nachricht jeweils ein Zitat (>quote)
eingeblendet.

qualified hits
[**kwoll**ifaid **hittß**]

qualifizierte Hits
Reale Zugriffe auf eine Web-Site (>site), die
dem Besucher Informationen liefern. Von den
eigentlichen Hits (>hit) werden Fehlermeldun-
gen, verweigerte Zugriffe, Um- oder Weiterlei-
tungen auf andere Web-Seiten abgezogen; vgl.
>page view.

query
[**kwi**əri]

Abfrage
Begriff aus der Datenbankterminologie: die
Suche in einer Online-Datenbank (>on-line,
>database) beginnen; vgl. >simple query,
>advanced query, >query by example.

query by example
[**kwi**əri bai ig**sahm**pl]

Abfrage anhand Beispiel
Zusätzliche Suchmöglichkeit, die einige Suchmaschinen (>search engine) – z. B. >Excite –
anbieten. Wenn ein Suchergebnis dem Gewünschten sehr nahe kommt, hat der Benutzer
die Möglichkeit, auf den Link (>hyperlink)
"Search for more documents like this one" zu
klicken. Daraufhin wird das Beispieldokument
analysiert und eine neue Suche nach weiteren
Dokumenten dieses Inhalts gestartet. Die
ursprüngliche Stichwortsuche ist dabei von
untergeordneter Bedeutung.

queue
[**kjuh**]

Warteschlange
Anzahl von Aufgaben, die "Schlange stehen",
d. h. darauf warten, der Reihe nach abgearbeitet
zu werden. Es kann sich um E-Mails (>e-mail)
handeln, aber auch um Druckaufträge, Datenbankabfragen, >FTPmail etc.

quote
[**kwoht**]

Zitat
Der aus der E-Mail-Welt stammende Begriff
kennzeichnet den Textteil einer E-Mail
(>e-mail), der nicht vom Schreiber selbst
stammt, sondern von jemandem, der ihn
ursprünglich in einer vorhergehenden Nachricht
verfasst hat. Solche Zitate sind oft durch ein ">"
zu Beginn der Zeile deutlich gemacht.

quoting
[**kwoh**ting]

Zitieren
Einen Textteil aus einer vorhergehenden Nachricht wörtlich wiedergeben. Ein solches ausführ-
liches Bezugnehmen auf etwas erkennt man in
der Regel an dem Zeichen ">" am Anfang einer
Zeile. Moderne E-Mail-Programme (>e-mail)
verfügen über eine extra dafür vorgesehene
Quoting-Funktion; vgl. >cascade.

RAM
[**rämm**]
Random Access
Memory

Direktzugriffsspeicher
Haupt- bzw. Arbeitsspeicher eines Computers
mit wahlfreiem Zugriff, bei dem Daten sowohl
gelesen als auch verändert wieder geschrieben
werden können. Seine Adressierung erfolgt
durch eindeutige Zuordnung von Adressen zu
einzelnen Speicherzellen; vgl. >ROM.

RARE
[räə]
Réseaux Associés
pour la Recherche
Européenne

etwa: **Vereinigte Netze für die europäische Forschung**
1986 gegründete Organisation mit dem erklärten Ziel, eine hochwertige europäische Computer-Kommunikationsinfrastruktur zu fördern und an ihrer Entwicklung teilzunehmen. Damit sollen die europäische Industrie und Wirtschaft sowie Forschungseinrichtungen und -vorhaben mit den für sie notwendigen Kommunikationswerkzeugen und -diensten versorgt werden.

Mitglieder sind europäische nationale Forschungsnetzwerke, multinationale europäische Netzwerke, internationale User-Organisationen (>user) sowie weitere netzwerkbezogene Organisationen. RARE genießt die Unterstützung der Kommission der europäischen Gemeinschaft (CEC, DG XIII) und besitzt Stimmen in den größeren Körperschaften der Informationstechnologie und Telekommunikations-Standardisierung.

RAS
[ahr-eh-**äss**]
Remote Access Service

"Fernzugangsservice"
Technologie, die über eine Wählleitung eine Verbindung zwischen zwei Computern oder Netzwerken (>network) herstellt, beispielsweise zwischen dem Computer eines Internet-Benutzers und dem Einwählrechner eines Providers (>provider); vgl. >leased line, >dial node.

RDF
[ah-dih-**äff**]
Resource Description
Framework

"Quellenbeschreibungsrahmen"
>XML-Sprache, die das >W3C zur Beschreibung von Metadaten wie site maps (>site map) und Meta-Suchmaschinen (>meta search engine) empfiehlt.

read message
[**rihd mäss**idsch]

"lies die Nachricht"
Software-Befehl zum Anzeigen einer E-Mail (>e-mail) oder einer Nachricht.

read only
[**rihd** ohnli]

"nur lesen"
Online-Forum oder -Konferenz (>on-line, >forum, >conference), wo man zwar mitlesen, aber nicht durch eigene Beiträge aktiv teilnehmen kann.

RealAudio
[riəl-**oh**dioh]
(Produktname)

"echtes Audio"
Die Software "RealAudio" der Firma RealNet-
works ist eine >client-server-basierte Daten-
übertragungs-Software zur Medienpräsentation
speziell für das Internet. Mit dem RealAudio-
Encoder und -Server können Anbieter von Nachrichten, Unterhaltung, Sport- und Business-
Inhalten audiobasierte, Internet-übertragungs-
fähige Multimedia-Inhalte (>multimedia)
erzeugen und in Echtzeit (>realtime) über das
Internet übertragen; vgl. >streaming.

RealNames
[riəl-nehms]
(Produktname)

"echte Namen"
Navigationsdienst, der Internet-Adressen
(>URL) von Anbietern anhand von deren tat-
sächlichen Namen liefert. Denn oft stimmen
Internet-Adresse und Firmenname nicht so über-
ein, wie dies z. B. bei www.langenscheidt.de der
Fall ist. Gibt man also bei RealNames "Gelbe
Seiten" ein, landet man automatisch bei
www.teleauskunft.de. Einige Suchmaschinen
(>search engine) haben RealNames in ihren
Service integriert.

realtime
[riəltaim]

Echtzeit
Dialogmodus, der dadurch gekennzeichnet ist,
dass der Kontakt der Dialogpartner via Rechner-
tastatur ohne zeitliche Verzögerung abläuft – im
Gegensatz z. B. zur E-Mail (>e-mail), die mit
Zeitverzögerung empfangen wird.

Red Book
[**räd** buck]

Rotes Buch
1. Eine von der NSA (National Security Association) entwickelte Spezifikation, welche die
Informationssicherheit von Computer-Netzwer-
ken (>network) definiert. Die höchste Sicherheitsstufe wird als A1 bezeichnet, die niedrigste
als D.

2. Von den Firmen Sony und Philips entwickelte
Spezifikation für Audio-CDs; vgl. >Green Book,
>Orange Book.

3. Ein von der >CCITT veröffentlichter Tele-
kommunikationsstandard.

relative path
[rel**ə**tiw pah**θ**]

relativer Pfad
Pfad-Angabe (>path), die automatisch beim
aktuellen Arbeitsverzeichnis eines Datenträgers
wie einem Server (>server) beginnt; vgl.
>absolute path.

Reload
[rih**lohd**]

Aktualisieren
Menü-Button bzw. Anforderung eines Web-
Browsers (>browser) an einen Server (>server),
eine betrachtete Web-Seite erneut, d. h. auf dem
aktuellen Stand, zu senden.

remote access
[ri**moht äck**ßäss]

Fernzugriff
Zugriff auf einen mehr oder weniger weit ent-
fernt befindlichen Computer mittels eines Daten-
fernübertragungsmediums, beispielsweise eines
Modems (>modem), um diesen oder die angeschlossenen Peripheriegeräte (>peripheral
devices) nutzen zu können.

remote echo
[ri**moht äck**oh]

"fernes Echo"
Duplizierung all dessen, was der Computer am
anderen Ende der Leitung überträgt, auf dem
eigenen Bildschirm; vgl. >local echo.

repeater
[ri**pih**tə]

Wiederholer
Gerät, das den Signalverlust bei einer Glasfaser-
Übertragung (>fiberglass cable) über sehr weite
Entfernungen ausgleicht.

reply
[ri**plai**]

Antwort
Antwort oder Kommentar zu einer E-Mail
(>e-mail) oder einem >Usenet-Beitrag.

**request for
comments**
[ri**kwäß**t fə
komm**ännt**ß]

"mit der Bitte um Stellungnahme"
>RFC.

resource
[ri**sohß**]

Quelle, Ressource
Im Internet-Zusammenhang ist die "Daten-
quelle" der eigentliche Zieltext, also die Datei,
die man sucht bzw. aufruft: Wenn man die Web-
Site (>site) von Firma XYZ lädt, stellt sie die
Informationsressource dar.

résumé, *auch:*
resume
[**räs**jumeh]

Resümee, Zusammenfassung, Lebenslauf
Textdatei, die persönliche Informationen über
einen Teilnehmer eines Online-Systems
(>on-line) enthält (resume = kurzer Lebenslauf).
Wird normalerweise von diesem Teilnehmer
selbst erstellt und kann von anderen Teilnehmern desselben Online-Systems eingesehen werden – eine Art "elektronische Visitenkarte".

RFC
[ahr-äff-**ßih**]
request for comments

"mit der Bitte um Stellungnahme"
Artikel über Standards und Protokolle im Internet. Neue Standards werden zunächst vorge-
schlagen und zur Diskussion gestellt (daher "mit
der Bitte um Stellungnahme"). Erst nachdem sie
ausdiskutiert und für gut befunden worden sind,
werden sie unter einer RFC-Nummer veröffentlicht, z. B. RFC 1166 (Internet-Nummern),
RFC 959 (File Transfer Protocol (>FTP)) oder
RFC 1118 (Hitchhiker's Guide to the Internet).

RFC822
[ahr-äff-**ßih**-eht-
twännti-**tuh**]

Internet-Standard für E-Mail-Header (>e-mail,
>header); vgl. >RFC.

RFD
request for discussion
(Akronym)

Wunsch nach Diskussion

Rheingold,
Howard

Autor der populärwissenschaftlichen Sachbücher
"Virtual Reality" (1991; >virtual reality) und
"Virtual Community" (1993; >virtual community) – Letzteres ist auch online (>on-line) zu
lesen. Rheingold hat seine geistige Heimat im
>WELL.

RIPE
[raipp]
Réseaux IP Européens

etwa: **Europäische IP-Netze**
Zusammenschluss europäischer Netze
(>network), die >TCP/IP verwenden.

roaming
[**rohm**ing]

"Herumstreifen"
Möglichkeit, Online- und Mobilfunkdienste
(>on-line) über das Netz eines fremden Betreibers nutzen zu können. Die Abrechnung erfolgt

über den eigenen Provider (>provider), der
seinerseits mit dem jeweiligen Fremdanbieter
abrechnet.

robot
[**roh**bott]

"Roboter"
Werkzeug-Programm, das automatisch und
systematisch über die Hyperlinks (>hyperlink)
das >World Wide Web absucht und dabei Informationen über die Web-Sites (>site) sammelt
(>indexing). Die Index-Einträge (Suchwörter)
der Sites, ihre >URL sowie Informationen über
die dazugehörigen Dokumente und alle verknüpften Adressen werden dann in riesigen
Datenbanken gespeichert und dort von Suchmaschinen abgerufen (>search engine, >directory).
Andere Namen sind "spider" oder "wanderer".

Robot Exclusion
Standard
[**roh**bott ickß**kluh**schn
ßtänndəd]

etwa: **Vereinbarung über den Ausschluss aus**
der Robotersuche
Goodwill-Übereinkunft vom 30.6.1994 zwischen Autoren von Robotern (>robot) und den
Betreibern von großen Servern (>server), die
gewährleisten soll, dass bestimmte Dateien oder
ganze Server von der Registrierung durch einen
Roboter ausgenommen werden können.

Rocket eBook
[**rock**it **ih**buck]
(Produktname)

Elektronisches Lesegerät der Firma Nuvo
Media, das im Herbst 1998 auf dem amerikanischen Markt eingeführt wurde und mit Lesestoff
aus dem Internet gefüllt wird. Die unterschiedlichen Inhalte werden über Internet-Buchhandlun-
gen wie Barnes&Noble zum kostenpflichtigen
Download (>download) angeboten.

ROFL
rolling on floor laughing
(Akronym)

sich auf dem Boden wälzend vor Lachen

ROM
[**romm**]
Read-Only Memory

Nur-Lese-Speicher
Halbleiterspeicher, auf dem Daten oder Programme bereits während des Herstellungspro-
zesses dauerhaft abgelegt werden. Die auf einem
ROM-Chip gespeicherten Informationen können
nur gelesen und nicht gelöscht, der Speicher

selbst auch nicht wieder beschrieben werden; vgl. >PROM, >EPROM, >RAM.

ROT-13
[ahr-oh-tih-θöh**tihn**]

Einfache Verschlüsselungsmethode, bei der die Buchstaben des Alphabets um 13 Stellen vorwärts oder rückwärts verschoben dargestellt werden (A wird zu M, B zu N etc.). Sinn dieser leicht zu entschlüsselnden Encodierung ist es, evtl. Beleidigendes, Extremes oder Anstößiges nicht direkt lesbar zu machen, sodass der Empfänger oder auch die Allgemeinheit wählen kann, ob er/sie es zur Kenntnis nimmt oder nicht.

router
britisch [**ruh**tə];
amerikanisch [**raut**ə]

Aus Hardware und/oder Software bestehendes System, das Datenpakete (>packet) zwischen zwei Netzwerken (>network) oder Netzwerksegmenten weiterleitet (route = Weg, Route). Voraussetzung für das Gelingen der Datenübertragung ist, dass Sender und Empfänger dasselbe >IP verwenden. Ist dies nicht der Fall, muss ein Gateway (>gateway) verwendet werden; vgl. >OSPF.

RPC
[ah-pih-**ß**ih]
Remote Procedure Call

"Fern-Prozeduraufruf"
Programm- oder Prozeduraufruf über ein Netzwerk. Bei einer Formularverarbeitung (>form) auf einer Web-Site (>site) werden die Formularinhalte zur Weiterverarbeitung beispielsweise an ein >CGI-Programm auf dem Server (>server) übergeben.

RPROM
[**ah**-promm]
Reprogrammable
Read-Only Memory

wiederholt programmierbarer Nur-Lese-Speicher
Andere Bezeichnung für >EPROM.

RS232
[ahr-äss **tuh**-θöhti-**tuh**]
Related Standard

Norm, mit der die serielle Schnittstelle (>serial port) definiert wird.

RS-232-C
[ahr-äss **tuh**-θöhti-**tuh**-**ß**ih]
Related Standard

Amerikanische Norm für die serielle Schnittstelle, die gleichermaßen für die Übertragung synchroner (>synchronous) als auch aysnchroner (>asynchronous) Daten geeignet ist.

RSA
[ahr-äss-**eh**]
Rivest, Shamir,
Adleman

Ein auf der Verknüpfung von zwei Primzahlen beruhendes Verschlüsselungsverfahren (>encryption) von Rivest, Shamir und Adleman.

RSN
real soon now
(Akronym)

schon sehr bald, dieses Mal aber wirklich schnell
Gewöhnlich sarkastisch verwendet in der Bedeutung, dass etwas zwar angekündigt ist, man aber nicht daran glaubt, dass es wirklich zum angekündigten Termin fertig sein wird. Zum Beispiel: "PROGRAMME XYZ is due to be released RSN".

RSVP
[ahr-äss-wih-**pih**]
Resource Reservation
Protocol

"Betriebsmittel-Reservierungsprotokoll"
Standardprotokoll der >IETF, das die Reservierung von Bandbreiten (>bandwidth) für bestimmte Anwendungen in Echtzeit (>realtime) über das Backbone (>backbone) eines Routers (>router) ermöglicht.

RTF
[ah-tih-**äff**]
Rich Text Format

"Reichhaltiges Textformat"
Relativ neutrales Datenformat zum Austausch elektronischer Dokumente, das häufig zum Versand elektronischer Nachrichten (>e-mail) verwendet wird.

RTFAQ
read the FAQ
(Akronym)

Lies die >FAQ.

RTFM
read the fucking manual
(Akronym)

Lies das verdammte Handbuch!

RTS/CTS
[ahr-tih-**äss**/ßih-tih-**äss**]
request to send /
clear to send

Einstellbarer Modus (>mode) zwischen Rechner und Modem (>modem): Hardware-Signal über die serielle Schnittstelle, mit dem ein Rechner einem Modem sowohl Empfangsbereitschaft als auch eine Sendeaufforderung übermittelt (to request = um etwas ersuchen), während das Modem seine Bereitschaft, Daten zu übernehmen (CTS - clear to send) meldet, um sie zu einem anderen Modem zu übermitteln; vgl. >flow control.

RUOK
Are you okay?
(Akronym)

Bist du in Ordnung? / Geht es dir gut?

satellite transmission
[ßättəlait tränsmischn]

Satellitenübertragung
Datenübertragung, bei der Satelliten eingesetzt werden, die an einer festen Position "aufgehängt" sind und an denen sich Sender und Empfänger einer Erdfunkstelle über Parabolantennen ausrichten. Satellitenübertragung bietet zwar große Übertragungskapazitäten, ist für das Internet aber nur bedingt geeignet. Daten lassen sich bislang nur vom Satelliten empfangen, aber noch nicht zurücksenden; vgl. >Internet in the Sky.

SCPC
[äss-ßih-pih-ßih]
Single Carrier Per Channel

"ein Träger pro Kanal"
Einer Standleitung (>leased line) ähnliche Technologie, bei der für eine Datenübertragung ein Übertragungskanal exklusiv reserviert wird.

scratchpad
[ßkrättschpäd]

"Notizblock"
Temporäre Datei, in der Nachrichten vor der Weiterverarbeitung kurzfristig abgelegt werden.

screen name
[ßkrihn nehm]

"Bildschirmname"
>handle, >alias.

script
[ßkrippt]

Skript
Programme oder Teile davon, die nicht vom Prozessor des Rechners (>processor), auf dem sie installiert sind, sondern z. B. auf einem Web-Server (>server) ausgeführt werden. Skriptsprachen sind u. a. >JavaScript und >PERL.

scrollbar
[ßkrohlbah]

Bildlaufleiste
Kontrollleiste, die meist am rechten bzw. unteren Rand eines Bildschirmfensters angebracht ist und das kontinuierliche Bewegen des Bildschirminhaltes in vertikaler bzw. horizontaler Richtung ermöglicht; vgl. >scrolling.

scrolling
[ßkrohling]

Rollen
Kontinuierliches Bewegen eines Bildschirminhaltes in vertikaler oder horizontaler Richtung; vgl. >scrollbar.

SDMI

[äss-dih-ämm-**ai**]
Secure Digital Music
Initiative

"Initiative für sichere digitale Musik"
Konsortium, das seit Juli 1999 in Los Angeles
an einem Zweistufenplan zur künftigen Unter-
bindung von Musikpiraterie brütet. Vertreter dieses Konsortiums, wie die Firmen Microsoft und
Sony, wollen die Musikindustrie vor allem bei
deren Problemen mit dem neuen im Internet ver-
breiteten Musikformat MP3 (>MPEG-1 Layer 3)
unterstützen.

search engine

[**ßöhtsch änn**dschinn]

Suchmaschine
Suchdatenbank im Internet, mit deren Hilfe man
Informationen zu Begriffen findet, zu denen man
keine genauen Adressen (>URL) kennt. Die
bekanntesten Suchmaschinen sind >AltaVista,
>Lycos und >Excite. Im Gegensatz zu den Inter-
net-Verzeichnissen (>directory) kann man die
Suchmaschinen ausschließlich aktiv mit Suchbegriffen abfragen (>Boolean search, >query,
>term); der Datenbankinhalt einer solchen Such-
maschine im engeren Sinn wird nicht redaktio-
nell betreut.

secure server

[ßi**kju**ə **ßöh**wə]

sicherer Server
Server (>server), der mit Verschlüsselung
(>encryption) arbeitet, beispielsweise ein
>World Wide Web-Server mit >SSL-Verschlüs-
selung.

SEMPER

[**ßämm**pə]
Secure Electronic
Marketplace for Europe

**"Sicherer elektronischer Marktplatz für
Europa"**
Sicherheitsstandard für den Online-Handelsver-
kehr (>on-line), an dessen Entwicklung eine
Reihe von Firmen arbeiten.

serial cable

[**ßi**əriəl **kehb**l]

serielles Kabel
Kabel, das Peripheriegeräte, wie z. B. Maus,
Drucker oder Modem (>modem), über die
serielle Schnittstelle (>serial port) mit dem
Rechner verbindet. Das serielle Kabel ist anders
gepolt als das Nullmodemkabel (>null modem),
das zwei Rechner über die serielle Schnittstelle
verbindet.

Serial Line Internet Protocol
[ßiəriəl lain inntənätt prohtəkoll]

>SLIP, >MacSLIP.

serial port
[ßiəriəl poht]

serieller Anschluss
Anschluss des Computers, der asynchrone (>asynchronous) Daten abschickt und empfängt. Peripheriegeräte, wie z. B. Maus, Drucker oder Modem (>modem), benutzen diesen Anschluss; vgl. >serial cable, >RS232.

server
[ßöhwə]

1. Ursprünglich Bezeichnung für den zentralen Computer eines Netzwerks (>network), samt der entsprechenden Software (u. a. Netzwerkbetriebssystem), der seine Leistungen und Daten den am Netzwerk teilnehmenden Computern (>client) mittels Client-Server-Software (>client-server) zur Verfügung stellt.

2. Darüber hinaus werden auch bestimmte Service-Einrichtungen im Internet bzw. Software, die von der Funktion her Dienstleistungen wie Datenbanksuche etc. erfüllt, mittlerweile als "Server" bezeichnet.

service provider
[ßöhwiss prəwaidə]

Diensteanbieter
>provider, >on-line service provider.

servlet
[ßöhwlətt]

Name für kleine Programme/Anwendungen (>application), die in der Programmiersprache >Java geschrieben sind und im Gegensatz zu Java-Applets (>applet) nicht auf einem Client (>client), sondern auf einem Server (>server) ausgeführt werden. Ein Java-Servlet könnte z. B. der Datenbankzugriff auf einem Server sein.

SET
[ßätt]
Secure Electronic Transaction

etwa: **sichere elektronische (Geld)Transaktion**
Von Visa und Mastercard entwickelte Technologie, die es ermöglichen soll, online (>on-line) sicher mit Kreditkarten zu bezahlen; vgl. >electronic commerce.

set-top box
[ßätt-topp bockß]

Aufsatzgerät
Zusätzliches Gerät zum TV, das digitale Signale

in analoge (>analogue signals, >digital) umwandeln, Videos ansteuern, vor- und zurückspulen und den Zuschauer mittels Chipkarte identifizieren kann.

SGML
[äss-dschih-ämm-**äll**]
Standard Generalized
Markup Language

Standardisierte, generalisierte Auszeichnungssprache
Bezeichnung für eine formalisierte Sprache zur formatierten, getaggten Darstellung von Dokumenten bzw. Dokumentenelementen. Sowohl >HTML als auch >XML haben ihren Ursprung in der 1969 von IBM und vom US-Verteidigungsministerium entworfenen Sprache. Seither wurde SGML weiterentwickelt und entspricht inzwischen einer >ISO-Norm.

shareware
[**schä**əwäə]

Software, die man kostenlos ausprobieren kann, bevor man sie kauft. Die Testversion hat oft, aber nicht immer, einige Einschränkungen gegenüber der Vollversion. Nach Ablauf einer gewissen Frist, ausgehend vom Installationsdatum, wird der User (>user) aufgefordert, sich gegen Gebühr registrieren zu lassen; vgl. >freeware, >public domain.

Shockwave
[**schock**wehw]
(Produktname)

Werkzeuge (>tool) der Firma Macromedia, mit denen multimediale Präsentationen, die mit dem "Macromedia Director" entwickelt wurden, Internet-tauglich werden. Ein Shockwave-Plug-in (>plug-in) macht es möglich, solche Präsentationen als Teil einer Web-Seite (>World Wide Web) einzusetzen.

shouting
[**schaut**ing]

"Schreien"
Online (>on-line) etwas in Großbuchstaben zu schreiben, bedeutet, dass man "SCHREIT", was unhöflich ist und dem Internet-Verhaltenskodex (>netiquette) widerspricht. Da außerdem Nachrichten in dieser Form schlecht lesbar sind, sollte man Großschreibung nur in unvermeidlichen Fällen verwenden.

SHTTP
[äss-ehtsch-tih-tih-**pih**]
Secure HTTP

"Sicheres" >HTTP-Protokoll (>protocol), das von der Firma Terisa Systems Inc. entwickelt wurde, um die Transaktion von Dokumenten über das Internet (durch HTTP-Verbindungen) sicher zu machen. Es handelt sich um eine Erweiterung von HTTP, mit der man Nachrichten sozusagen "einkapseln" kann. In diese Einkapselungen können Verschlüsselung, Unterschrift oder MAC-basierte Beglaubigungen mit einbezogen werden, sodass insgesamt Vertraulichkeit, sichere Identifizierung sowie Vollständigkeit gewährleistet werden können. Solcherart erstellte Dokumente erkennt man auf der Web-Seite (>World Wide Web) daran, dass in der >URL anstelle des bekannten "http://" "shttp://" steht.

SIFT
[ßifft]

"sieben", "seihen", *übertragen:* **"Filter"**
Im Internet-Zusammenhang hat diese Abkürzung vor allem folgende Bedeutungen:

1. Abkürzung für "Secure Internet Filter Technology Consortium" (etwa: Konsortium für die Technologie sicherer Internet-Filter). Es handelt sich um eine internationale Arbeitsgruppe, die sich aus hochkarätigen Firmen der Computer- und Software-Branche zusammensetzt und sich mit der Förderung der Internet-Filter- und Überwachungsindustrie befasst, womit sie allgemeine Probleme anspricht, mit denen die Gemeinschaft der Käufer und Verkäufer im Internet konfrontiert ist.

2. Abkürzung für "Selecting Information from Text" (*etwa:* Informationsauswahl aus Text). Name eines 1995 gegründeten Projekts zur Entwicklung eines neuartigen Tools (>tool) für Volltextsuche im Bereich der technischen Dokumentation. Im Unterschied zu bisherigen Tools, die mit Stichwörtern und dem Abgleich von Strings (>string) arbeiten, sind die Ansätze bei SIFT Bedeutung und Satzanalyse.

SIG
[ßigg]
Special Interest Group

Forum oder mehrere Foren (>forum) mit speziellem Thema und Interesse, vorwiegend zu finden in Online-Diensten (>on-line) wie >CompuServe und >AOL.

signal to noise ratio
[ßiggnəl tu nois rehschioh]

"Verhältnis Signal zu Grundgeräusch"
Auf einem Vergleich basierende Bezeichnung für das Verhältnis themenbezogener Nachrichten (signal) zur Menge allgemeinen Geredes (noise, >wibble) in einer Newsgroup (>newsgroup); (bildhaft: signal = Konkretes, noise = unspezifisches Hintergrundgeräusch); Abk.: SNR.

signature
[ßiggnətschə]

Unterschrift
Eine Art elektronische Unterschrift am Ende einer E-Mail oder eines Forumbeitrags (>e-mail, >forum), die den Absender identifizieren und/oder charakterisieren soll. Es handelt sich um einige Zeilen Text mit Name, Adresse, Beruf und sonstigem für wissenswert Erachtetem – oft auch noch erweitert durch einen witzigen Spruch oder ein "Kunstwerk" (>ASCII art). Da die digitale Unterschrift technisch eine Datei darstellt, sind ihrem Umfang theoretisch keine Grenzen gesetzt, die Internet-Verhaltensregeln (>netiquette) jedoch sehen maximal 4 Zeilen vor; nicht zu verwechseln mit der digitalen Unterschrift (>digital signature).

Simple Mail Transfer Protocol
[ßimmpl mehl trännsföh prohtəkoll]

>SMTP.

simple query
[ßimmpl kwiəri]

einfache Abfrage
Suchoption in Suchmaschinen (>search engine), die die Formulierung einer einfachen – im Gegensatz zur erweiterten, komplexen – Abfrage (>advanced query) bezeichnet; auch simple search.

SITD
still in the dark
(Akronym)

noch im Dunkeln
Es liegt noch nichts Endgültiges vor; etwas ist noch nicht abzusehen oder abgeschlossen.

site
[ßait]

etwa: **Standort**
Gesamtbezeichnung für die Web-Präsenz (>World Wide Web) eines Anbieters, einer Firma etc. Umfasst alle hierzu gehörenden Bildschirmseiten, Web-Seiten und Dokumente

(>document) sowie auch Download-Bereiche (>download). Die erste Bildschirmseite, auf die man beim Anklicken der Adresse (>address) gelangt, ist die Homepage (>home page). (Zur "Web-Site" von www.langenscheidt.de gehören z. B. alle Seiten, auf die man von der Homepage aus weiterklicken kann.)

Hinweis: Da englisch "site" und deutsch "Seite" gleich klingen, hört man umgangssprachlich für "site" oft fälschlicherweise den synonym gebrauchten Ausdruck "Seite". Letzteres bezeichnet jedoch eine einzelne >HTML- oder Textdatei, die von einem Web-Browser (>browser) dargestellt werden kann.

site map
[βait mäpp]

etwa: **Standortkarte**
Gliederung, die auf einen Blick über Umfang und Inhalt einer Web-Site (>site) informieren soll und von wo aus man sich zu den einzelnen Seiten oder Bereichen weiterklicken kann.

SLIP
[βlipp]
Serial Line Internet
Protocol

Protokoll (>protocol), das es einem Computer ermöglicht, mit dem Internet eine serielle Verbindung über das normale Telefonnetz aufzubauen (>serial port); Vorgänger des >PPP.

slipstreaming
[βlippβtrihming]

"Segeln im Windschatten"
Bezeichnung für die Vorgehensweise der Software-Industrie, Fehler eines Programms mit der nächsthöheren Entwicklungsstufe zu beheben. Die Technik des Slipstreaming wird auch bei Internet-Inhalten (>content) angewendet, was zu Kontroversen geführt hat. So sind Texte im Internet beispielsweise meist nicht endgültig, sondern werden immer auf einen aktuellen Stand gebracht, ohne dass diese Korrekturen gekennzeichnet werden. Auf frühere Fassungen derselben Information ist also nicht immer Verlass.

Smartphone
[βmahtfohn]

Bezeichnung für Internet-fähige Mobiltelefone mit großem Display, einer Kamera und einem Spracherkennungsprogramm, die u. a. den Mobilfunkstandard >UMTS unterstützen werden. Sie werden auch als Handys (>mobile) der dritten Generation bezeichnet.

SMIL
[äss-ämm-ai-**äll**]
Synchronized
Multimedia Integration
Language

"Synchronisierte Multimedia-Integrations-sprache"
Multimedia-Standard (>multimedia) für das Internet, der vom >W3C beschlossen wurde und an dessen Entwicklung Unternehmen wie Microsoft, DEC und Philips beteiligt sind. SMIL ermöglicht es, Audio- und Videosequenzen verschiedener Quellen simultan abzuspielen. Zudem soll mit SMIL künftig die Bandbreite (>bandwidth) von Videodaten auf den Umfang bisheriger "low bandwidth media" reduziert werden.

smiley
[ßmaili]

Aus >ASCII-Zeichen gebildetes, stilisiertes kleines Gesicht, das die Stimmungslage und Gefühle des Absenders oder auch gewisse Untertöne einer E-Mail (>e-mail) ausdrücken soll. Es ist zu erkennen, wenn man den Text um 90 Grad nach rechts kippt. Die Grundform zeigt ein lächelndes Gesicht (to smile = lächeln) :-)
Vgl. >emoticon sowie Kapitel Emoticons.

SMOP
small matter of
programming
(Akronym)

"minderwertiges Stück Software"
Schlechtes Programm, das sein Geld nicht wert ist.

SMS
[äss-ämm-**äss**]
Short Message Service

Kurznachrichtendienst
Nachrichtendienst bei Mobiltelefonen, der die bidirektionale Übertragung von kurzen Nachrichten (bis zu 160 Zeichen) ermöglicht. Über Drittanbieter lassen sich auch aus dem Internet Kurznachrichten an ein Mobiltelefon senden. Als SMS werden auch die Kurznachrichten selbst bezeichnet.

SMTP
[äss-ämm-tih-**pih**]
Simple Mail Transfer
Protocol

"Einfaches Postübertragungsprotokoll"
Teil der >TCP/IP-Protokollfamilie (>protocol), der die Übertragung von E-Mails (>e-mail) zwischen Computern regelt.

SNAFU
[ßnäfuh]
situation normal, all
fucked/fouled up
(Akronym)

"Situation normal, alles versaut"
Im Sinne von "Operation gelungen, Patient tot".

snail mail
[ßnehl mehl]

"Schneckenpost"
Humorvolle Bezeichnung für die traditionelle Überlandpost, die verglichen mit der elektronischen Datenübertragung sehr langsam ist.

SNMP
[äss-änn-**ämm-pih**]
Simple Network
Management Protocol

"Einfaches Netzwerk-Management-Protokoll"
Das in >RFC-Standards festgelegte Internet-Standard-Protokoll für den Betrieb von >IP-Netzknoten; vgl. >node.

SNR
[äss-änn-**ah**]
signal to noise ratio

"Verhältnis Signal zu Grundgeräusch"
>signal to noise ratio.

SO
[äss-**oh**]
significant other
(Akronym)

etwa: die bessere Hälfte, Lebensgefährte/in

socket
[ßockit]

"Steckdose", "Fassung", "Gelenk"
1. In der Grundbedeutung ein bidirektionales Kommunikationsmedium, über das sowohl gelesen als auch geschrieben werden kann.

2. Im Hardware-Bereich die Schnittstelle bzw. "Steckdose", über die zwei Hardware-Komponenten Daten austauschen, z. B. Hauptplatine und Prozessor (>processor).

3. Im Software-Bereich Bezeichnung für Übergabepunkte, über die die Kommunikation zwischen zwei Rechnern abläuft, z. B. zwischen Server und Client (>client-server). Dabei entspricht jedes Socket einer bestimmten Protokollfamilie (>protocol; >IP-basierte wie >TCP (verbindungsorientiert) oder >UDP (paketorientiert) als auch >UNIX-Domänen-Protokolle). Die Kommunikation zwischen zwei Rechnern ist also nur jeweils über Sockets mit denselben Protokollen möglich.

soft error
[ßofft ärrǝ]

"weicher Fehler"
Fehler, der nur sporadisch auftritt, sodass ein weiterer Betrieb mit Einschränkungen noch möglich ist. Bestes Beispiel für solche Soft

Errors sind Fehler bei der Datenfernübertragung, bedingt durch überlastete oder schlechte Datenleitungen.

SOL
shit outta (= out of) luck
(Akronym)

etwa: Pech gehabt!, in dem Sinne: Man kann sich nicht gegen alles versichern, manchmal geht eben etwas einfach schief! Gängige Redensart, kommt in Rocksongs, modernen Gedichten und Filmen vor.

source code
[ßohß kohd]

Quellcode
Originalcode eines Programms, den ein Programmierer benötigt, um das Programm abändern zu können.
Es gibt Anbieter, die den Quellcode ihres Produktes im Internet zur Verfügung stellen, um so die Chancen zur Verbesserung des Produkts zu erhöhen, wenn weltweit möglichst viele kreative Programmierer ihr Know-how in das Programm einbringen. Auf diese Weise entstanden sehr gute >UNIX-Abwandlungen wie z. B. >Linux (das sich immer noch weiterentwickelt). Seit Frühjahr 1998 stellt auch die Netscape Communications Corporation den Sourcecode ihres "Communicators" öffentlich zugänglich ins Internet; vgl. >open source.

spamming
[ßpämming]
(Kunstwort)

Zusammenziehung aus "spill" (überlaufen lassen) und "cram" (vollstopfen, überladen) zur Bezeichnung für das Überfluten von >Usenet-Newsgroups (>newsgroup), Mailboxen (>mailbox) oder anderen Online-Foren (>on-line, >forum) mit Nachrichten, die entweder unnütz, unbestellt oder auf andere Weise ärgerlich sind, z. B. Werbesendungen kommerzieller Anbieter. Vor allem in den USA wird diese Art der Werbung in Anlehnung an das gleichnamige undefinierbare Frühstücksfleisch aus der Dose "spam" genannt.

spider
[ßpaidə]

"Spinne"
Andere Bezeichnung für >robot, die an das Bild von der Spinne erinnert, die fleißig durch ihr Netz krabbelt, quasi von einer Speiche (>URL) zur nächsten.

Weitere Bezeichnungen für so oder vergleichbar operierende Software sind "wanderer", "crawler", auch "worm" oder "ant". Alle diese Namen sind etwas irreführend, wenn man damit die Vorstellung verknüpft, dass das Programm aktiv von Site zu Site krabbelt, kriecht oder wandert. Tatsächlich aktiviert es einfach die Hyperlinks (>hyperlink) und gelangt so zur jeweils nächsten Site (>site), wo es seine Sammel- und Registrierarbeit fortsetzt.

spoofing
[ßpuhfing]

"Schwindeln", "Hereinlegen", "Austricksen"
Vortäuschen falscher Informationen im Internet, wie die Angabe falscher Stichwörter auf einer Web-Seite, um im Index (>indexing) einer Suchmaschine (>search engine) möglichst weit oben zu landen, oder das Chatten (>chat) unter dem Namen eines anderen Benutzers; vgl. >IP-spoofing.

SqURL Pro
[ßkwöhl proh]
Search and Query
Uniform Resource
Locators
(Produktname)

"einheitliche Quellenlokalisierer für Suche und Abfrage"
Programmpaket aus mehreren Windows-95-Werkzeugen, mit denen die Internet-Sitzung automatisiert und die online (>on-line) verbrachte Zeit auf ein Minimum reduziert werden kann.

SSL
[äss-äss-**äll**]
Secure Sockets Layer
(Produktname)

Verschlüsselungstechnologie, die die Firma Netscape unter Zugrundelegung von >SHTTP der Firma Terisa Systems entwickelt hat, um Web-Browsern (>World Wide Web, >browser) und Web-Servern (>server) sicheres Kommunizieren zu ermöglichen.

standard
[ßtänndəd]

Standard
>de-jure standard.

start/stop bits
[ßtaht/ßtopp bittß]

Bits (>bit), die dem Empfänger den Anfang (start bits) bzw. das Ende (stop bits) einer seriellen Datenübertragung anzeigen.

STD
[äss-tih-**dih**]
Standard

Standard
Der Teil der >RFCs, der Internet-Standards beinhaltet.

steganography
[ßtäggənoggrəfi]

Steganografie
Spezielle Art der Datenverschlüsselung, die im Gegensatz zu herkömmlichen Verschlüsselungsmethoden nicht eine komplette Datei verschlüsselt, sondern in unverschlüsselte Dateien verschlüsselte Elemente einbaut; vgl. >cryptography.

stereoscopic glasses
[ßtärriəßkoppick glahßis]

stereoskopische Brille
Brille, die im Zusammenwirken mit einem Computer dem Träger eine dreidimensionale virtuelle Welt (>virtual reality) vortäuscht. Vom Computer werden der Brille Impulse geschickt, die abwechselnd das rechte und das linke Glas öffnen und schließen. Gleichzeitig projiziert der Computer im gleichen Rhythmus unterschiedliche Bilder auf das Display der Brille, das in die beiden Brillengläser integriert ist.

Sterling, Bruce

Die beiden Autoren Bruce Sterling und William Gibson (>Gibson, William) waren die maßgeblichen Schöpfer des Ausdrucks >cyberpunk. Sterling, Amerikaner Jahrgang 1954, war Herausgeber des Sprachrohrs der Cyberpunk-Bewegung "Mirrorshades" und schreibt heute eine populäre Kolumne für das "Magazine of Fantasy and Science Fiction" sowie eine literaturkritische Kolumne für "Science Fiction Eye". Sein Buch "The Hacker Crackdown: Law and Disorder on the Electronic Frontier" ist ein Nonfiction-Werk über Computerverbrechen und elektronisches Zivilrecht (Bantam Books, 1992). Außerdem ist Sterling Mitglied des "Board of Directors" der "Electronic Frontier Foundation" (>EFF) in Austin, Texas.

STFU
shut the fuck up
(Akronym)

Halt die Klappe, verdammt noch mal!
Halt endlich die Klappe!

Stomper
[ßtompə]
(Produktname)

Software (>shareware von der Firma Pflug Datentechnik), die es mehreren Rechnern ermöglicht, sich im Netzwerk (>network) ein Modem (>modem) oder eine >ISDN-Karte zu teilen.

stop bits
[ßtopp bittß]

>start/stop bits.

streaming
[ßtrihming]

"Strömen"
Technologie, mit der Video- und Audiodaten so aufbereitet werden, dass Echtzeit-Audio- und Videoempfang (>realtime) aus dem Internet ermöglicht wird. Die Daten werden dabei bereits während des Herunterladens (>download) abgespielt und müssen nicht erst zwischengespeichert werden; vgl. >MetaStream.

string
[ßtring]

Schnur, Reihe, Kette
Zeichenfolge aus Buchstaben und/oder Ziffern, z. B. die Gesamtschreibung einer >URL, aber auch die Zeichenfolge eines "normalen" Wortes, die man z. B. als Suchbegriff in eine Suchmaschine (>search engine) eingibt.

Stuffit
[ßtaffitt]
(Produktname)

"Stopf es!"
Im Internet sehr beliebtes Komprimierungsprogramm für Macintosh-Rechner von der Firma Aladdin Systems. Mit "Stuffit" komprimierte Dateien erkennt man an der Endung .sit.

Submit
[ßəbmitt]

"Beantragen", "Einreichen", "Fordern"
1. Schaltfläche bei den meisten Suchmaschinen (>search engine) bzw. Online-Datenbanken: Um die Suche zu starten, klickt man auf die Schaltfläche "Submit".

2. Auch z. B. zum Absenden von Formularen (>form) an einen Server (>server).

subnet mask
[ßabnätt mahßck]

Adresskombination
>address mask.

subscribing
[ßəbßkraibing]

Abonnieren
Hat man Interesse an einer Newsgroup (>newsgroup) oder dem Thema einer Mailing-Liste (>mailing list) gefunden, kann man sie über seinen Newsreader (>newsreader) abonnieren. Abonnements dieser Art haben keinerlei finanzielle Folgen.

support
[ßəpoht]

Unterstützung
Unterstützung und Rat vom Fachmann bei Hardware- und/oder Software-Problemen aller Art.

SWAP
[ßwopp]
Shared Wireless
Access Protocol

"Gemeinsames Protokoll für schnurlosen Zugriff"
Offener Standard, der die schnurlose Audio- und Datenkommunikation von Konsumerprodukten wie Computern, Fernsehern, Telefonen und dem Internet ermöglichen soll. Im Konsortium der HomeRF-Arbeitsgruppe, die diesen Standard aus der Taufe gehoben hat, sitzen unter anderem die Firmen Compaq, Hewlett-Packard, IBM, Intel, Microsoft, Motorola und Samsung; vgl. >WAP.

Swatch Beat
[ßwotsch biht]

"Swatch-Schlag"
Von der Firma Swatch für das Internet definierte Zeiteinheit: Ein Swatch Beat entspricht einer Minute und 26,4 Sekunden; vgl. >Internet Time.

synchronous
[ßinkrənəss]

synchron
Form der Datenübertragung, bei der sämtliche zu übertragenden Daten in einem fest definierten Zeitraster gesendet werden; vgl. >asynchronous.

SysOp
[ßiss-opp]
System Operator

Systembetreuer
Betreiber bzw. Betreuer eines >BBS oder, im deutschen Sprachgebrauch, einer Mailbox (>mailbox).

tag
[täg]

"Etikett"
Formatierungskommando in >HTML; so erzeugt z. B. <p> eine Absatzmarke, <br> einen Zeilenumbruch und <hr> eine horizontale Linie; vgl. >meta tag, >DTD.

talk
[tohk]

"Gespräch", "Sprechen"
Befehl, mit dem man in der >UNIX-Welt eine Unterhaltung in Echtzeit (>realtime) einleitet; Letztere ist vergleichbar mit dem Internet Relay Chat (>IRC) in der PC-Welt.

talkers
[tohkəs]

"Sprecher", "Sprechende"
Textbasiertes Chat-System (>chat), ähnlich
>IRC, nur mit eigenen Befehlen. Ein bestimmter
Bereich auf einem Host-Server (>host, >server),
der von einer speziellen Software verwaltet wird
und vielen Usern (>user) gleichzeitig (einige bis
zu 400) als Austauschforum und -medium dient.

TAN
[tänn]
Transaction Number

Transaktionsnummer
TANs sind jeweils nur für eine Finanztransak-
tion gültig; vgl. >homebanking, >PIN.

Tar
[tah]
tape archiver
(Produktname)

Komprimierungsprogramm aus der >UNIX-
Welt; mit Tar komprimierte Dateien erkennt man
an der Endung .tar (>filename extension).

TCB
trouble came back
(Akronym)

der Ärger kam zurück
Im Sinne von: Da haben wir den Ärger wieder!

TCP
[tih-ßih-**pih**]
Transmission Control
Protocol

"Übertragungskontrollprotokoll"
Protokoll (>protocol) für die Datenübermittlung
zwischen Rechnern; eines der Protokolle, auf
denen das Internet basiert; vgl. >TCP/IP.

TCP/IP
[tih-ßih-**pih**/ai-**pih**]
Transmission Control
Protocol/Internet
Protocol

Satz von Protokollen (>protocol), nämlich >TCP
und >IP, auf deren Zusammenwirken das Internet basiert. Da beide sich ergänzen, werden sie
meist zusammen erwähnt; vgl. >SMTP, >RIPE.

TDM
too damn many
(Akronym)

verdammt, zu viele

T-DSL
[tih-dih-**äss-äll**]
Telekom Digital
Subscriber Line

etwa: **digitale Teilnehmeranschlussleitung der
Telekom**
>ADSL-Angebot der Deutschen Telekom, das
Mitte 1999 in acht deutschen Ballungsgebieten
verfügbar gemacht wurde.

telecommuting
[**tä**llikəm**juht**ing]

Telearbeit
Ausübung des Berufs zu Hause per Computer,
Modem (>modem) oder ISDN-Karte (>ISDN)

und Telefon/Fax. In die Firma begibt sich der oder die Angestellte hierbei (commuter = Pendler) meistens nur noch "virtuell"; für nicht fest Angestellte vgl. >outsourcing.

teleworking
[**täll**iwöhking]

Telearbeit
>telecommuting.

Telnet
[**täll**nätt]

Kategorie von Programmen, die ähnlich einem Terminal-Programm (>terminal) dem User (>user) direkten Zugriff auf einen anderen Computer im Internet ermöglichen. Wenn man die entsprechenden Zugriffsrechte auf diesen Rechner hat, kann man aus der Ferne Programme starten, Dateien bearbeiten oder auch "hinauf"- und herunterladen (>upload, >download).

term
[töhm]

"Wort", "Ausdruck", "Begriff", "Bezeichnung"
Jeglicher Suchbegriff, der in das Suchfeld einer Suchmaschine (>search engine) eingegeben wird; der Ausdruck begegnet einem z. B. in der Online-Hilfe der Suchmaschinen.

terminal
[**töh**minl]

Dateneingabestation
Die Bezeichnung stammt aus der Zeit der Großrechner, als damit dessen Tastatur und eventuell noch Bildschirm gemeint waren, also die Schnittstelle Mensch – Computer. Die Tastatur ist ein Eingabemedium, während der Monitor z. B. für den Computer gar nicht nötig wäre, sondern einzig dazu dient, dem User (>user) Informationen auszugeben (die ersten Großrechner hatten folgerichtig auch gar keine Monitore, sondern z. B. Drucker).
Heute bezeichnet man als "Terminal" die gesamte Zugangsstation zu einem Computersystem (Großrechner, Firmennetzwerk, Internet etc.) und die technische Ausrüstung, über die der User mit diesem System kommuniziert.
Da aber z. B. Großrechner immer noch auf die Kommunikation mit so genannten "dummen Terminals" fixiert sind, benötigt ein heutiges "intelligentes Terminal" (der PC) sogar eine spezielle Software, einen "Terminal Emulator", um dem Großrechner vorzugaukeln, dieser kommu-

niziere mit einem "dummen Terminal", also mit seiner eigenen Tastatur und mit seinem eigenen Monitor, anstatt mit einem PC.

text file
[**täckßt** fail]

Textdatei
Eine Datei, die im Gegensatz zu einer Binärdatei (>binary file) ausschließlich druckbare Zeichen enthält. Die meisten der im Internet verkehrenden Dateien sind "text files", die auf >ASCII basieren, da dieses Format von jedem Computersystem gelesen werden kann.

text-only
[**täckßt-ohn**li]

"nur Text"
Von manchen Web-Site-Betreibern (>site) angebotene Option für die Darstellung einer Site ohne Grafiken und Bilder. Je nach Angebot bzw. Gestaltung der Site wird der User entweder gleich zu Beginn des Ladevorgangs über ein Dialogfenster nach seiner Präferenz befragt, oder er kann in der schon geladenen Seite den jeweils anderen Darstellungsmodus anklicken; vgl. >framed.

thread
[θräd]

"Faden"
Gesprächs- bzw. Diskussionsfaden: Zusammenhängende Folge von Beiträgen zu einem bestimmten Thema in einer Newsgroup (>newsgroup) oder einem Diskussionsforum (>conference) eines Online-Systems (>on-line); besteht aus einer Anfangsmitteilung (>post), auf die Kommentare und Antworten folgen.

three-dimensional
[θrih-dai**männ**schnəl]

dreidimensional
Eigenschaft eines Objektes oder Bildes, das in den drei Raumdimensionen Länge, Breite und Höhe, mit räumlicher Tiefe und variierenden Entfernungen abgebildet wird; vgl. >3-D sound, >3-D graphics, >VRML.

throttling
[θ**rott**ling]

"Drosselung"
Im Kontext Internet ist die Überwachung der maximalen Bandbreite (>bandwidth), die auf einem Server (>server) für den Internet-Verkehr verfügbar ist, gemeint.

throughput
[θ**ruh**putt]

Durchsatz
Kurz für "data throughput"; Maß für die Leistungsfähigkeit eines Systems: Bezeichnet die Menge der Daten, die in einem bestimmten Zeitraum, in der Regel pro Sekunde, übertragen werden kann; vgl. >bits per second, >kbps, >mbps, >bandwidth, >baud.

TIA
thanks in advance
(Akronym)

Danke im Voraus

TIC
tongue in cheek
(Akronym)

"Zunge in der Backe"
Ironisch oder scherzhaft gemeint; soll Skepsis, Zweifel ausdrücken; vgl. Kapitel Emoticons.

time out
[taim **aut**]

"Auszeit"
Phänomen, das insbesondere beim Versuch, eine bestimmte Web-Site (>site) mit dem Browser (>browser) aufzurufen, häufig auftritt: Ist der Server (>server) überlastet oder kann keine Verbindung aufgebaut werden, bleibt eine Rückmeldung aus, d. h. die Anwendung reagiert nicht, und es kommt es zu einem solchen time out.

TinyMUD
[**taini**madd]

kleines (winziges) MUD
Eine Spielart des Multi User Games; vgl. >MUD, >MUG.

TinySex
[**taini**ßäckß]

kleiner (winziger) Sex
Cybersex (>cybersex) im Rahmen eines >TinyMud-Spiels.

TLA
[tih-**äll-eh**]
Three Letter Acronym

Drei-Buchstaben-Akronym
Akronym (>acronym), das dazu dient, z. B. beim Chatten (>chat) oder in Konferenzen (>conference), so wenig wie möglich tippen zu müssen und so die Kommunikation zu beschleunigen. Diese Art von Abkürzung kann durchaus auch mehr als drei Buchstaben haben (>ETLA).

TNX
thanks
(Akronym)

Danke

T-Online
[tih-**onn**lain]
Telekom Online
(Firmen-/Anbieter-
name)

In Deutschland größter Anbieter von Online-Diensten (>on-line) und Internet-Zugängen, hauptsächlich für die Nutzung im privaten Bereich und in kleineren und mittleren Betrieben. Tochterfirma der Deutschen Telekom AG; >provider, >on-line service provider.

tool
[tuhl]

"Werkzeug", "Gerät"
Hilfs- oder Zusatz-Software (vgl. >plug-in).

topic
[**topp**ick]

Thema, Gegenstand
Unterbereich in einer Konferenz (>conference), in dem der Gegenstand einer Diskussion noch vertieft wird.

top level domain
[**topp** läwl də**mehn**]

Top-Level-Domain
Bezeichnung für den rechten äußeren Teil einer Internet-Adresse (vgl. >domain, >IP address), z. B. die Endung ".de" oder ".com", der bei der Suche der zugehörigen Web-Site (>site) zuerst abgearbeitet wird. Die Top-Level-Domain bezieht sich auf den Standort der Namensverwaltung, nicht auf den Standort der Domain oder des Servers (>server) selbst.

trailer
[**treh**lə]

"Nachspann"
Schlussteil eines zu übertragenden Datenpakets; vgl. >header, >frame.

transport layer
[**tränn**ßpoht lehə]

"Transportschicht"
Teil der Infrastruktur eines Rechnernetzes, der zuständig ist für alles, was mit den Aufgaben des Datentransfers zu tun hat, wie Durchführung von Fehlerkontrollen, Neuordnung von Paketfolgen, Bearbeitung von Wiederholungsanforderungen untergeordneter Systeme und Zerlegung von Nachrichten in Einzelpakete (>packet).

Trojan horse
[**troh**dschən **hohß**]

"Trojanisches Pferd"
Virenprogramm (>virus), das in harmloser "Verkleidung" auftritt, wie z. B. als Packprogramm, Spiel oder sogar als Programm, das Viren finden und zerstören soll; vgl. >mockingbird.

Trust Center
[**trasst** ßentə]

Zertifizierungsstelle
Unabhängige Institution, die für die Vergabe von
Zertifikaten (>certification) zuständig ist; vgl.
>digital signature.

TTFN
ta-ta (goodbye) for now
(Akronym)

Tschüs erst mal.

TTYL
talk to you later
(Akronym)

Wir sprechen uns später.
Ich spreche später mit dir/Ihnen.

TVM
thanks very much
(Akronym)

Vielen Dank!

UDP
[juh-dih-**pih**]
User Datagram
Protocol

Eines der vielen Protokolle (>protocol), auf
denen das Internet beruht. Anwendungen, die
mit >TCP nicht zurechtkommen, verwenden das
eng verwandte >UDP.

UK Online
[**juh**-keh **onn**lain]
United Kingdom Online
*(Firmen-/Anbieter-
name)*

Online-Informationsdienst (>on-line) im >World
Wide Web, der nur Abonnenten zugänglich ist
und dessen Schwerpunkt auf Großbritannien
liegt.

UMTS
[juh-ämm-tih-**äss**]
Universal Mobile
Telecommunications
System(s)

**"Universelles System für mobile Telekommuni-
kation"**
Weltweiter, in der Entwicklung befindlicher
Mobilfunkstandard, der für höhere Bandbreiten
(>bandwidth) sorgen und hierzulande im Jahre
2002 starten soll. Von einem Mobiltelefon
(>mobile) aus ist der Internet-Zugang dann mit
einer Datenübertragungsgeschwindigkeit von bis
zu zwei Megabit pro Sekunde (>mbps) möglich.

UNC
[juh-änn-**ßih**]
Universal Naming
Convention

"Universelle Namensgebungskonvention"
Allgemeine Übereinkunft für die Notation von
Pfadnamen bei der Verwaltung von Dateien auf
einem >file server oder Web-Server (>World
Wide Web, >server).

Uniform Resource Locator
[**juh**nifohm ri**sohß loh**kehtə]

"einheitlicher Quellenlokalisierer"
>URL.

UNIX
[**juh**nickß]

Im Internet weit verbreitetes Betriebssystem
(>OS).

UNL
[juh-änn-**äll**]
Universal Networking
Language

"Universelle Netzwerksprache"
Weltsprache für das Internet, die derzeit von
rund 120 Computerexperten und Linguisten an
der United Nations University in Tokio entwickelt wird. Sie soll die Konversation im >World
Wide Web zwischen Sprechern unterschiedlicher
Sprachen ermöglichen. Bis zum Jahr 2005 soll
es Umformungsprogramme für alle Sprachen der
185 Mitgliedsstaaten der UNO geben.

unsubscribe
[annßəbß**kraib**]

"ein Abonnement abbestellen"
Sich aus einer >Usenet-Newsgroup (>news-
group) zurückziehen; technische Durchführung:
Im Newsreader (>newsreader) löscht man die
Adresse der betreffenden Newsgroup.

Update
[**app**deht]

"Aufdatieren"
Aufrüsten von der vorherigen Programmversion
auf eine neue. Einige Firmen bieten Updates
bereits über das Internet an.

Upgrade
[**app**grehd]

"Aufrüsten"
Aufrüsten von einer beliebigen Programm-
version auf eine neue. Einige Firmen bieten
Upgrades bereits über das Internet an.

upload
[**app**lohd]

"Hinaufladen"
Übertragung einer Datei vom eigenen Rechner
auf einen anderen Computer, der mit diesem
über eine Datenleitung, z. B. über Modem
(>modem), verbunden ist; vgl. >download.

urban folklore
[**öh**bən **fohk**loh]

"städtische Märchen"
Geschichten, Mythen und Legenden aus der
modernen Gegenwart, deren Thematik von einfachen Gruselgeschichten bis hin zu Gerüchten
über Spionage und Vertuschungsskandale in

Industrie und Politik reicht. Im Internet kann man sich über "urban folklore" in speziellen Newsgroups (>newsgroup) informieren, z. B. in alt.folklore.urban (AFU), die sich der Beschäftigung mit Geschichten dieser Art verschrieben hat.

URI
[juh-ahr-**ai**]
Uniform Resource
Identifiers

"einheitliche Quellenidentifizierer"
Oberbegriff für >URL und >URN.

URL
[juh-ahr-**äll**]
Uniform Resource
Locator

"einheitlicher Quellenlokalisierer"
Bezeichnung für die gesamte Adresse (>address) einer Internet-Seite. Sie besteht aus einem Dienstpräfix für die Art, mit der man zugreift (z. B. http:// für WWW-Adressen (>World Wide Web) oder ftp:// bei FTP-Zugang), einem Server-Namen (>server), der wiederum aus dem Namen des Servers und seiner Domain (>domain) besteht (z. B. www.langenscheidt.de), und dem Namen des Dokuments (>document), der noch durch eine Pfadangabe (>path) ergänzt sein kann.

URLsnoop
[juh-ahr-**äll**-ßnuhp]

Virus (>virus), der sämtliche in einem befallenen Windows-PC gespeicherten E-Mail-Adressen (>e-mail, >address) an eine bestimmte Adresse sendet. Die unrechtmäßigen Empfänger verwenden die so erhaltenen Adressen meist für einen illegalen Adresshandel.

URN
[juh-ahr-**änn**]
Universal Resource
Name

"universeller Quellenname"
URNs sind eine Neuentwicklung und stellen einen Zusatz zu URLs (>URL) dar, den Adressen im >World Wide Web.
URLs spezifizieren, technisch gesehen, eine bestimmte Datei auf einem bestimmten Server. So präzise dies scheint, so gibt es auch Probleme mit dieser Systematik: Wenn man z. B. die Dateien auf einem Web-Server reorganisieren oder eine Quelle (>resource) auf mehrere Maschinen kopieren möchte (um die Speicherbelastung zu verteilen oder Sicherheitskopien zu

erstellen), dann muss auch der Suchpfad geändert werden; sonst kann die Quelle nicht mehr gefunden werden. (Dies ist u. a. der Grund für die häufige Meldung "URL not found").

URNs sollen diese Probleme überwinden. Die Grundidee daran ist, dass eine URN nicht den Standort einer Quelle (der sich verändern kann) spezifizieren soll, sondern ihre Identität, ähnlich der ISBN (= International Standard Book Number) von Büchern.

Usenet
[juhßnätt]

Eigenständiges Netzwerk (>network) innerhalb des Internets, das sich in tausende, thematisch sortierte Unterbereiche, so genannte Newsgroups (>newsgroup), teilt. Hier werden Neuigkeiten und Dateien ausgetauscht, es wird diskutiert, philosophiert und bei technischen Problemen Hilfestellung geleistet. Wie im Internet üblich, ist das Usenet dezentral angelegt, d. h. es ist keine Zensur und kaum eine Kontrolle möglich.

user
[juhsə]

Anwender, (Be)Nutzer, Teilnehmer
Grundsätzlich jeder, der ein Programm, eine Software oder eine Anwendung benutzt – was auch jene Programme und Medien einschließt, mittels derer man am Internet oder auch nur an einer Mailbox (>mailbox) teilnehmen kann.

User Against Wucher
[juhsə əgännßt Wuchə]

User gegen Wucher
Deutsche Boykottaktion von Internet-Surfern gegen die Deutsche Telekom mit der Forderung nach einem Sondertarif für Internet-Verbindungen. Der initiierende Verein "DarkBreed", ein Zusammenschluss mittelhessischer Jugendlicher, hat am 1. November 1998 zu einem ganztägigen Verzicht auf privates Surfen im Internet aufgerufen. Am Tag der Aktion haben mehrere Hundert Web-Anbieter wie die Computerzeitschrift c't ihre Web-Site (>site) durch eine Streik-Seite ersetzt. Vorbild der Aktion war ein vorausgegangener ähnlicher Streik in Spanien, nach dem angekündigte Gebührenerhöhungen durch den Druck der Surfer zum Teil wieder rückgängig gemacht wurden.

user interface
[**juhs**ə **innt**əfehß]

Benutzerschnittstelle
Schnittstelle, die die Kommunikation zwischen
einem Gerät, Anschluss oder Programm und
dem Anwender ermöglicht, also z. B. die Benutzeroberfläche; vgl. >user, >interface, >GUI.

username
[**juhs**ənehm]

Benutzername
Vom User (>user) eines Online-Systems
(>on-line) gewählter Name; >login name.

UUCP
[juh-juh-ßih-**pih**]
Unix to Unix Copy
Protocol

Protokoll (>protocol), das beim Austausch von
Daten bzw. Mitteilungen eingesetzt wird, wenn
kein direkter Netzanschluss an das Internet bzw.
>Usenet vorhanden ist. Mailboxen (>mailbox)
z. B. beziehen oft ihre Newsgroups-Dateien
(>newsgroup) über Telefon- und >ISDN-Leitun-
gen mit "UUCP" aus dem Internet; vgl. >NNTP.

UUencode
[juh-**juh**-in**kohd**]
Unix to Unix encode

Programm, das binäre Dateien (>binary file) in
ASCII-Dateien (>ASCII) umwandelt, damit
diese im Internet via E-Mail (>e-mail) versendet
werden können (nur ASCII-Dateien werden
sicher übertragen). Für die Rückumwandlung in
eine Binärdatei sorgt ein UUdecoder.

UUnet
[juh-**juh**-nätt]
Unix to Unix network
*(Firmen-/Anbieter-
name)*

Einer der weltweit größten Internet-Service-
Provider (>provider), 100-prozentige Tochter des
Telekommunikationsunternehmens WorldCom.

V.17
[**wih** dott ßäwn**tihn**]

>ITU-T-Modulationsprotokoll (>protocol), das
sich auf Faxmodems (>modem) und Faxgeräte
bezieht und eine maximale Übertragungsgeschwindigkeit von 14.400 Bit/s (>bits per
second) erlaubt.

V.21
[**wih** dott twännti-**wann**]

>ITU-T-Standard für Akustikkoppler und
Modems (>modem) mit einer maximalen Übertragungsgeschwindigkeit von 300 Bit/s (>bits
per second).

V.22
[**wih** dott twännti-**tuh**]

>ITU-T-Standard für Modems (>modem) mit
einer maximalen Übertragungsgeschwindigkeit
von 1.200 Bit/s (>bits per second).

V.22bis
[**wih** dott
twännti-**tuh-biss**]

>ITU-T-Standard für Modems (>modem) mit einer maximalen Übertragungsgeschwindigkeit von 2.400 Bit/s (>bits per second); vgl. >bis.

V.23
[**wih** dott twännti-θrih]

>ITU-T-Standard für Modems (>modem) mit einer maximalen Übertragungsgeschwindigkeit von 75 Bit/s (>bits per second) beim Senden und 1.200 Bit/s beim Empfang von Daten.

V.24
[**wih** dott twännti-**foh**]

Durch die >ITU-T genormte Empfehlung zur Datenübertragung über serielle Schnittstellen.

V.26
[**wih** dott twännti-**ßickß**]

>ITU-T-Standard für Vierdraht-Standleitungs-Modems (>modem, >leased line) mit einer maximalen Übertragungsgeschwindigkeit von 2.400 Bit/s (>bits per second).

V.26bis
[**wih** dott
twännti-**ßickß-biss**]

>ITU-T-Standard für Vierdraht-Standleitungs-Modems (>modem, >leased line) mit einer maximalen Übertragungsgeschwindigkeit von 14.400 Bit/s (>bits per second); vgl. >bis.

V.27
[**wih** dott twännti-**ßäwn**]

>ITU-T-Standard für Vierdraht-Standleitungs-Modems (>modem, >leased line) mit einer maximalen Übertragungsgeschwindigkeit von 4.800 Bit/s (>bits per second).

V.27bis
[**wih** dott
twännti-**ßäwn-biss**]

>ITU-T-Standard für Vierdraht-Standleitungs-Modems (>modem, >leased line) mit einer maximalen Übertragungsgeschwindigkeit von 4.800 Bit/s (>bits per second); vgl. >bis.

V.27ter
[**wih** dott
twännti-**ßäwn-töh**,
auch -tih-ih-**ah**]

>ITU-T-Modulationsprotokoll (>protocol), das sich auf Faxmodems und Faxgeräte bezieht und eine maximale Übertragungsgeschwindigkeit von 2.400 Bit/s (>bits per second) erlaubt.

V.29
[**wih** dott twännti-**nain**]

>ITU-T-Modulationsprotokoll (>protocol), das sich auf Faxmodems und Faxgeräte bezieht und eine maximale Übertragungsgeschwindigkeit von 9.600 Bit/s (>bits per second) erlaubt.

V.32
[**wih** dott θöhti-**tuh**]

>ITU-T-Standard für Modems (>modem) mit einer maximalen Übertragungsgeschwindigkeit von 9.600 Bit/s (>bits per second).

V.32bis
[wih dott
θöhti-**tuh-biss**]

>ITU-T-Standard für Modems (>modem) mit einer maximalen Übertragungsgeschwindigkeit von 14.400 Bit/s (>bits per second); vgl. >bis.

V.32terbo
[wih dott
θöhti- **tuh-töh**boh]

Inoffizieller Standard einiger Modemhersteller (>modem), der eine maximale Übertragungsgeschwindigkeit von 19.200 Bit/s (>bits per second) erlaubt.

V.34
[wih dott θöhti-**foh**]

>ITU-T-Standard für Modems (>modem) mit einer maximalen Übertragungsgeschwindigkeit von 28.800 Bit/s (>bits per second).

V.34bis
[wih dott
θöhti-**foh-biss**]

>ITUT-Standard für Modems (>modem) mit einer maximalen Übertragungsgeschwindigkeit von 33.600 Bit/s (>bits per second); vgl. >bis.

V.42
[wih dott fohti-**tuh**]

>ITU-T-Standard, der Fehler korrigierende Modems (>modem) betrifft.

V.42bis
[wih dott fohti-**tuh-biss**]

>ITU-T-Standard, der Fehler korrigierende Modems (>modem) mit Datenkompression betrifft; vgl. >bis.

V.90
[wih dott **nain**ti]

>ITU-T-Standard, der Modems (>modem) mit einer maximalen Übertragungsgeschwindigkeit von 56.000 Bit/s (>bits per second) betrifft.

V.110
[wih dott wann-**tänn**]

>ITU-T-Protokoll für eine künstliche Herabsetzung der Übertragungsgeschwindigkeit im >ISDN von 64 Kilobit pro Sekunde (>kbps) auf einen niedrigeren Wert.

V.120
[wih dott wann-**twänn**ti]

>ITU-T-Protokoll für die Datenübertragung über >ISDN.

valid
[**wäll**id]

gültig
Wird vor allem im Zusammenhang mit >XML-Dokumenten verwendet. Ein gültiges Dokument wird gegen die Regeln einer >DTD geprüft. Bei Nichtvorhandensein einer DTD ist das Dokument bestenfalls >well-formed.

VBscript
[wih-**bih** ßkrippt]
Visual Basic Script
(Produktname)

>Visual Basic Script.

VC
[wih-**ßih**]
Virtual Community

virtuelle Gemeinde
>virtual community.

VDOLive
[wih-dih-**oh** laiw]

Kompressions-Algorithmus (>algorithm) und
Kommunikationsprotokoll (>protocol), das
Videobilder live im Internet ermöglicht.

VDSL
[wih-dih-äss-**äll**]
Very High Bit-Rate
Digital Subscriber Line

etwa: **sehr hochbitratige digitale Teilnehmer-**
anschlussleitung
Technik zur Übertragung von digitalen (>digital)
Daten, die auf herkömmlichen Kupfer-Telefonkabeln basiert und bei einer maximalen Entfernung von 14 Kilometern Datenübertragungsgeschwindigkeiten zwischen 13 und 52 Megabit
pro Sekunde (>mbps) ermöglicht; vgl. >HDSL,
>ADSL, >IDSL.

verbose
[wöh**bohß**]

"wortreich"
Ein- und ausschaltbarer Modus (>mode), in dem
ein Modem (>modem) Ergebniscodes (Betriebs-
meldungen, die Rückmeldung der angewählten
Gegenstelle u. a.) nicht als Zahl, sondern als
Text zurückgibt.

Veronica
[wəronnikə]
Very Easy Rodent-
Oriented Net-wide
Index to Computerized
Archives
(Akronym)

"sehr einfacher, Nagetier-orientierter netzwei-
ter Index für Computerarchive"
Internet-Tool (>tool) und Teil des Gopher-Proto-
kolls (>protocol) zur Stichwortsuche in Gopher-
Servern (>server).
Der Begriff "rodent" (= Nagetier) wird hier als
Synonym für "gopher" (= Beutelratte) gebraucht
und wurde offensichtlich um des Akronyms wil-
len eingefügt; vgl. >Gopher.

video conference
[**wid**ioh **konn**frənß]

Videokonferenz
Besprechung mehrerer Personen an unterschiedlichen Orten, die per Videokameras und Datenleitungen mit hoher Bandbreite (>bandwidth)
beispielsweise über das Internet übertragen wird,

wobei sich alle Teilnehmer über Monitor sowie Sprachein- und ausgabegeräte sehen und hören können.

video display
[**wid**ioh diss**pleh**]

Bildschirm
Bildausgabegerät, Monitor, Bildschirm.

Viewcall
[**wjuh**kohl]
(Produktname)

Zusatzgerät (>set-top box) für den amerikanischen Markt, das einen Internet-Zugang über Fernsehgerät und Telefonanschluss ermöglicht.

virtual circuit
[**wöht**schuəl **ß**öhkitt]

virtuelle Leitung, virtueller Schaltweg
Datenübertragungsweg: Bezeichnung soll ausdrücken, dass der Weg, den Daten im Internet vom Ausgangsrechner zum Zielrechner nehmen, eine von Milliarden Möglichkeiten ist, die bei jeder Durchführung anders ausfällt und daher nicht rekonstruierbar oder wiederholbar ist.

virtual community
[**wöht**schuəl kəm**juh**nəti]

virtuelle Gemeinde
Ausdruck, der Gemeinschaften beschreibt, die zwar nur in Computernetzwerken (>network) existieren, aber dennoch real sind; andere Bezeichnung für den Cyberspace (>cyberspace) und Thema eines maßgeblichen Buches des amerikanischen Autors Howard Rheingold (>Rheingold, Howard); Abk.: VC.

virtual reality
[**wöht**schuəl riäləti]

virtuelle Realität
Durch Computertechnologie simulierte Wirklichkeit, die im Gegensatz zu traditionellen künstlichen Wirklichkeiten (wie z. B. im Film) interaktiv ist, d. h. die sich so verhält und so reagiert wie eine tatsächlich vorhandene Wirklichkeit. Die virtuelle Realität wird in zahlreichen Anwendungen in Industrie und Technik eingesetzt, z. B. bei Flugsimulatoren, der computergestützten Architektur oder bei chemischen Reaktionen; Abk.: VR.

virus
[**wai**rəss]

Virus
Analogie aus der Medizin: Programm, das auf Computer und/oder Software ähnlich einwirkt wie ein biologischer Virus auf einen lebenden Organismus. Ziel und Zweck eines Computervi-

rus ist es, sich zu verbreiten, d. h. über jede Art des Datenaustausches in andere Computer zu gelangen, sich dort an Programmdateien anzuhängen und diese zu verändern – meistens zum Negativen. Vorsorge treffen bzw. Abhilfe schaffen kann man mit Antivirenprogrammen (>antivirus); dabei ist es jedoch wichtig, dass diese stets in der neuesten Version vorliegen; vgl. >bomb, >Explore.zip, >Melissa, >URLsnoop, >worm, >mockingbird, >Trojan horse.

visit
[**wis**itt]

"Besuch"
Einheit zur Messung des Werbeträgerkontaktes einer Web-Site (>site), bei der die technisch erfolgreichen Seitenzugriffe eines Browsers (>browser) gemessen werden, wenn diese von außerhalb der Web-Site erfolgen. Im Gegensatz zu Page Views (>page view) wird nicht der Zugriff auf eine einzelne Web-Seite, sondern der Besuch einer Web-Site gemessen.

Visual Basic Script
[**wi**schual **beh**ßick ßkrippt]
(Produktname)

Programmiersystem auf der Basis von "Visual Basic" (einer objektorientierten Programmiersprache von Microsoft), mit dem man die mit ihm erstellten Funktionen in eine >HTML-Seite integrieren kann. Man benötigt den Web-Browser (>browser) >Internet Explorer ab Version 3, um diese Funktionen benutzen zu können.

volume rate
[**woll**juhm reht]

Volumentarif
Tarifverfahren, bei dem die Mitgliedschaft bei einem Provider (>provider) nicht nach Online-Minuten, sondern in Abhängigkeit von der Menge der übertragenen Daten abgerechnet wird; vgl. >flat rate.

VR
[wih-**ah**]
Virtual Reality

virtuelle Realität
>virtual reality.

VRML
[**wöh**mäll *oder* wih-ahr-ämm-**äll**]
Virtual Reality Modeling Language

"Virtuelle Realität schaffende Sprache"
Plattformunabhängige Seitenbeschreibungssprache, deren Dateiformat auf allen Rechnern und Betriebssystemen läuft. Sie ermöglicht die Erstellung von dreidimensionalen (>three-

dimensional) Objekten mit integrierten Hyperlinks (>hyperlink) im Internet. VRML gehört in
dieselbe Kategorie wie >HTML, wobei man mit
Letzterem jedoch nur Text und Bilder, also nur
zweidimensionale Seiten, darstellen kann. Der
neue Standard ist VRML 2.0; vgl. >Moving
Worlds.
Hinweis: Betrachten lassen sich die mit VRML
erstellten virtuellen Räume mit einem WWW-
Browser (>browser) nur, wenn die entsprechende Erweiterung (>plug-in) installiert ist.

VT100
[**wih**-tih-**hann**drəd]

Terminal-Emulation (>terminal): Software, die
durch Anpassung von Steuerzeichen die Charak-
teristika eines anderen Rechners so nachbildet,
dass man auf diesen zugreifen kann. Auf diese
Weise ist Kommunikation zwischen Rechnern
verschiedener "Familien", z. B. >UNIX mit PC,
möglich.

W3
[**dabbl**juh-θrih]

Spitzname, der die drei Ws von WWW bzw.
>World Wide Web bezeichnet; vgl. >W3C.

W3C
[**dabbl**juh-θrih-ßih]
World Wide Web
Consortium

Gremium, welches über Standards im >World
Wide Web berät und diese gegebenenfalls allgemein verbindlich beschließt. Das W3C wird
koordiniert vom MIT (Massachusetts Institute of
Technology), dem >CERN sowie dem INRIA
(Institut Nationale de Recherche en Informatique
et en Automation).

waffle
[**woffl**]

>wibble.

WAIS
[wehs]
Wide Area
Information Server

"Fernbereichs-Informations-Server"
Software zum Abrufen von Informationen aus
Datenbanken (>database), die über das gesamte
Internet, also weltweit, verteilt sind. Dabei kann
auf Dokumentenebene (>document) nach einzelnen Wörtern gesucht werden. Inzwischen durch
neuere Suchwerkzeuge überholt.

WAN
[wänn]
Wide Area Network

etwa: **Fernbereichsnetzwerk**
Großes Netzwerk (>network), das öffentliche
und/oder Fernleitungen (z. B. Telefonleitungen,

Glasfaserkabel, Satellitenübertragung etc.)
benutzt und über Landes- und/oder Kontinent-
grenzen hinaus ausgedehnt ist; Gegensatz:
>LAN, vgl. >AAN.

WAP
[wopp]
Wireless
Application Protocol

etwa: **Protokoll schnurloser Applikationen**
Standard-Protokoll (>protocol), das die Kommunikation mobiler Endgeräte untereinander einerseits und zu fest installierten Endgeräten andererseits beschreibt. Letzeres soll unter anderem
den Internet-Zugang auf mobilen Endgeräten,
die mit Mikro-Browsern (>browser) ausgestattet
sind, vereinfachen. Zu den Mitgliedern des
WAP-Konsortiums zählen Firmen wie Nokia,
Ericsson, Sony, Philips und IBM; vgl. >SWAP.

watch dog
[**wottsch** dog]

Wachhund
Allgemeine Bezeichnung für Programme, die
der Systemüberwachung dienen.

Web
[wäb]

Kurz für >World Wide Web, meist als "The
Web".

web cam
[**wäb** kämm]

WWW-Kamera
Speziell für das Internet entwickelte, fest instal-
lierte Digitalkamera (>digital), die aktuelle
Bilder ihrer Umgebung liefert; auch "live cam"
genannt. Die Bilder können über bestimmte
Internet-Adressen (>URL) mithilfe des Browsers
(>browser) abgerufen werden. Einige Kameras
liefern nicht nur Augenblicksaufnahmen, sondern bewegte Bilder in so genanntem >streaming
video.

web computer
[**wäb** kəmpjuhtə]

Netzcomputer, NC, *auch* Internet-PC
Rechner, dessen Unterschied zu einem "normalen" PC darin besteht, dass alle Daten und Programme auf einem Netz-Server (>server) liegen
und er dadurch mit einer technischen Minimal-
ausstattung (z. B. ohne Festplatte) auskommt.
Das bedeutet aber nicht, dass es sich lediglich
um ein Terminal (>terminal) handelt; der Netzcomputer ist vielmehr ein eigenständiger Rechner, auf dem die angeforderten Programme
ablaufen können, sodass der Server entlastet

wird (bei einem an einen Server angeschlossenen Terminal muss, im Gegensatz dazu, der Server die Rechenarbeit erledigen). Der Vorteil gegenüber der herkömmlichen Technik liegt vor allem im Preis.

Web.de
[**wäb** dott dih-**ih**]
(Produktname)

Nach >Yahoo! das zweitgrößte deutschsprachige Suchverzeichnis (>directory) im >World Wide Web, das von der Cinetic Medientechnik in Karlsruhe gepflegt wird.

web editor
[**wäb** ädditə]

Text-Editor, speziell zur Erstellung von >HTML-Dokumenten (>document).

webmaster
[**wäb**mahßtə]

"Netzmeister"
Jemand, der für die Verwaltung einer Site (>site) im >World Wide Web zuständig ist.

WebObjects
[**wäb-ob**dschicktß]
(Produktname)

Von der Firma NeXT Software entwickelte, leistungsfähige >ActiveX-kompatible Software zur Erstellung/Entwicklung von Web-Seiten (>World Wide Web).

web site
[**wäb** ßaitt]

etwa: **Standort**
>site.

webspace
[**wäb**ßpehß]
(Kunstwort)

1. Speicherplatz, den ein Internet-Provider (>provider) ggf. auf seinem Server (>server) für die Homepages (>home page, >site) seiner Kunden zur Verfügung stellt.

2. "Raum", Platz, den das >World Wide Web im Cyberspace (>cyberspace) einnimmt.

web tracking
[**wäb** träcking]

Bezeichnung für die Messung der Werbeleistung eines Auftritts im >World Wide Web mittels >page views oder >visits.

WebWasher
[**wäb**woschə]
(Produktname)

"Web-Reiniger"
Filterprogramm der Firma Siemens, das Werbung anhand der Größenverhältnisse auf einer Web-Seite, der >HTML-Muster und der Tarnnamen identifizieren und automatisch abschalten kann, d. h. gar nicht erst zur Anzeige kommen lässt.

web weaver
[**wäb** wihwə]

"Netzweber"
Designer eines WWW-Dokuments (>World Wide Web, >document).

webzine
[**wäb**sihn]
web magazine

Web-Magazin
>e-zine.

WELL
[**wäll**]
Whole Earth 'Lectronic Link
(Firmen-/Anbieter-name)

Online-System (>on-line) aus Sausalito, Kalifornien, das mit als eines der ersten eine Art "virtuelle Gemeinde" errichtet hat. Hier sind auch bekannte Szeneautoren wie Howard Rheingold (>Rheingold, Howard) oder Bruce Sterling (>Sterling, Bruce) beheimatet; vgl. >virtual reality, >virtual community.

well-formed
[**wäll**-fohmd]

"wohlgeformt"
Wird vor allem im Zusammenhang mit >XML-Dokumenten verwendet. Ein well-formed-Dokument erfüllt zwar die Syntaxregeln von XML, ist aber nicht notwendigerweise mit einer >DTD abgeglichen.

Whatis
[**wott**-is]

"Was ist?"
Bezeichnung aus der Welt der FTP-Archive (>FTP) für eine auf Archie-Servern (>Archie) unterhaltene Datenbank, die mit Datei- oder Verzeichnisnamen in Zusammenhang stehende Begriffe enthält.

White Pages
[**wait peh**dschis]

"Weiße Seiten"
Datenbank (>database) von Internet-Teilnehmern aller Art, die eine Internet-Adresse (>URL) haben, alphabetisch aufgebaut im Stil eines normalen Telefonbuches; vgl. >Yellow Pages.

Whois
[**huh**-is]
(Produktname)

"Wer ist?"
Suchprogramm, um die E-Mail- (>e-mail) und auch Postadresse sowie die Telefonnummer des angegebenen echten oder Alias-Namens (>alias) einer Person im Internet zu finden.

Whois-Server
[**huh**-is-ßöhwə]

"Wer ist?"-Server
Der Whois-Service des >InterNIC bietet als
Dienstleistung die Möglichkeit an, E-Mail-
Adressen (>e-mail), Postadressen und Telefonnummern der bei ihm registrierten Teilnehmer
bzw. Mitglieder zu finden. Außerdem kann man
in Erfahrung bringen, ob ein gewünschter
Domain-Name (>domain) bereits vergeben ist
oder wer eine bestimmte Site (>site) verwaltet;
und man kann eine Liste der zu einer Site gehörenden Server abrufen; vgl. >server.

wibble
[**wibl**]
(Kunstwort)

Umgangssprachlich für unsinnige und/oder nicht
relevante Beiträge in Nachrichtenbereichen,
Foren (>forum) oder Newsgroups (>newsgroup).
In einigen Newsgroups zu einer Art Kunstform
kultiviert (talk.bizarre).

wildcard
[**waild**kahd]
Zeichen: * oder ?

Platzhalter
Die Sonderzeichen * und ?, die, z. B. in Suchanfragen, als Platzhalter stellvertretend eingegeben
werden können, entweder für ein einziges, belie-
biges Zeichen (?) oder für einen oder mehrere
Buchstaben (*); vgl. >asterisk.

WinCim
[**winn**ßimm]
Windows CompuServe
Information Manager
(Produktname)

Windows-Client-Software (>client) und Internet-
Browser (>browser) für den amerikanischen
Online-Dienst >CompuServe (>on-line service
provider).

WinNuke
[**winn**-njuhk]
(Produktname)

Programm, das den Versand so genannter blauer
Bomben (>blue bomb) ermöglicht.

Winsock
[**winn**ßock]
(Produktname)

Treiberdatei, die Microsoft Windows benutzt,
um über >TCP/IP mit dem Internet zu kommunizieren.

WinVn
[**winn**-wih-änn]
(Produktname)

>Usenet-Newsreader (>newsreader) für Win-
dows-Anwender.

WIRED
[waiəd]
(Produktname)

"Verkabelt"
Amerikanisches Kultmagazin, das sich mit allen Aspekten der gesellschaftlichen Auswirkungen des Informationszeitalters auseinander setzt.

wirehead
[waiəhäd]

"Drahtkopf"
Etwas abschätzige Bezeichnung für einen Internet-Techniker oder -Experten.

wizard
[wisəd]

Zauberer, Hexenmeister
Teilnehmer an einem "Multi User Dungeon"-Spiel (>MUD), der eine hohe Spielstufe erreicht hat.

WOMBAT
waste of money, brains and time
(Akronym)

Verschwendung von Geld, Hirn und Zeit
Wird angewendet auf Probleme, die uninteressant und irrelevant sind und deren Lösung keinen Nutzen verspricht (wombat = Wombat, ein in Australien beheimatetes Beuteltier).

word count
[wöhd kaunt]

"Wortzähler"
Bezeichnung aus der Suchmaschinensprache (>search engine) für den Zähler, der die Anzahl der Treffer im Suchergebnis anzeigt.

World Wide Web
[wöhld waid wäb]

"Weltweites Netz"
Auf Hypertext (>hypertext) basierendes Informations- und Quellensystem für das Internet und der am schnellsten wachsende Teil des Internets; wurde 1990 im Schweizer Forschungslabor >CERN von Robert Cailliau und Tim Berners-Lee (>Berners-Lee, Timothy) entwickelt; Abk.: WWW, Web.

World Wide Web browser
[wöhld waid wäb brausə]

Zugangssoftware für das >World Wide Web; >browser.

worm
[wöhm]

Wurm
Bösartiger Virus (>virus), der sich, meist über den Anhang einer E-Mail (>e-mail), in ein Computersystem einschleicht, dort Dateien mit bestimmten Endungen löscht und im Namen des Benutzers auf jede eingehende Mail mit dem

zerstörerischen Wurm-Anhang antwortet. Er kann sich allerdings nur auf Windows-Rechnern verbreiten.

WRT
with regard to
(Akronym)

hinsichtlich, bezüglich

WTF
what the fuck
(Akronym)

Was, verdammt noch mal, ...

WTH
what the hell
(Akronym)

etwa: Was, zum Teufel, ...

WWW
[**dabbl**juh-**dabbl**juh-**dabbl**juh]
1. World Wide Web
2. "World Wide Wait"

1. "Weltweites Netz"
>World Wide Web.

2. "Weltweites Warten"
Ironische Interpretation des Kürzels WWW.

WYSIWYG
[**wis**iwig]
what you see is what you get
(Akronym)

"Was du siehst, ist das, was du erhältst"
Bezeichnung für eine Bildschirmwiedergabe, die identisch mit dem Ausdruck auf Papier ist.

X.25
[**äckß** dott twännti-**faiw**]

>CCITT-Normenempfehlung für den Datenaustausch über eine Schnittstelle zwischen einer Datenendeinrichtung und einer Datenübertragungseinrichtung in paketvermittelten öffentlichen Datennetzen (bei der Deutschen Telekom so genanntes DATEX-P).

X.29
[**äckß** dott twännti-**nain**]

>CCITT-Normenempfehlung für die Schnittstelle einer >X.25-Verbindung.

X.400
[**äckß** dott foh-**hann**drəd]

>ITU-T-Standard zum Mitteilungsaustausch in Mailboxen (>mailbox) und Nachrichtensystemen.

X.500
[**äckß** dott faiw-**hann**drəd]

Protokoll (>protocol), das als Standard der International Telecommunications Union (>ITU-T) für Adressdienste dient; vgl. >Directory Server.

xDSL

[**äckß**-dih-äss-**äll**]
x Digital Subscriber
Line

etwa: **x-digitale Teilnehmeranschlussleitung**
Datenübertragungstechnik mit Geschwindigkeiten bis zu 8 Megabits pro Sekunde (>mbps), die
von Telefongesellschaften als >ISDN-Ersatz
angeboten wird. Das vorangestellte "x" bedeutet,
dass es verschiedene Varianten mit unterschiedlichen Geschwindigkeiten gibt.

Xing

[sing]
*(Firmen-/Anbieter-
name)*

Firma, die die >streaming-Technologie entwickelt hat, mit der Videobilder so komprimiert
werden können, dass man sie live im Internet
übertragen kann. Sie ist ebenfalls sehr in der
MP3-Technologie (>MPEG-1 Layer 3) engagiert.

XLink

[**äckß**-link]
XML Linking Language

"XML-Verknüpfungssprache"
>XML-Standardsprache zur Beschreibung von
Links (>hyperlink) in Dokumenten, die über die
einfachen, uni-direktionalen Links von >HTML
hinausgehen.

XML

[**äckß**-ämm-**äll**]
Extensible Markup
Language

Erweiterbare Auszeichnungssprache
Metasprache zur Erstellung von Dokumenten im
>World Wide Web. Mit XML lässt sich eine
eigene formale Sprache erzeugen und die Struktur eines beliebigen Dokumententyps mithilfe
einer >DTD abbilden. Die syntaktischen Vor-
gaben selbst sind bei XML strenger als bei
>HTML. An den Beratungen über die Richtlinie
XML 1.0 haben Firmen wie Adobe, Microsoft,
Netscape, Sun und Hewlett-Packard mitgearbei-
tet. XML wurde im Februar 1998 verabschiedet;
vgl. >SGML, >hypertext.

Xmodem

[**äckß**-mohdämm]

Datenübertragungsprotokoll für Modems
(>modem), das heute weitgehend durch das
>Zmodem ersetzt worden ist.

XON/XOFF

[äckß-**onn**/äckß-**off**]

Software-Protokoll, das den Datenfluss zwischen
Modem (>modem) und Rechner mittels
>ASCII-Steuerzeichen regelt. Wird gewöhnlich
durch die weitaus effektivere Hardware-Lösung
(vgl. >RTS/CTS) ersetzt; vgl. >flow control.

XPointer
[**äckß**-pointə]
XML Pointer Language

"XML-Zeigersprache"
>XML-Standardsprache zur Beschreibung von Zeigern (>pointer) und Adressierungen in Dokumenten.

XSL
[äckß-äss-**äll**]
Extensible Style
Language

Erweiterbare Stilsprache
Vorschlag für eine >XML-Stilsprache, die Ende August 1998 vom >W3C als öffentlicher Entwurf vorgestellt und unter anderem von der Firma Microsoft vorangetrieben wurde; vgl. >DTD, >CSS.

XSL-processor
[äckß-äss-**äll**
prohßässə]

XSL-Prozessor
Prozessor (>processor), der mit >XSL-Stilvorlagen einen herkömmlichen >HTML-Browser (>browser) zum universellen >XML-Viewer macht, indem er dem Browser vorgeschaltet wird und XML in HTML übersetzt. Die Firma Microsoft bietet beispielsweise einen einfachen XSL-Prozessor als >ActiveX-Control für den >Internet Explorer an.

Y2K-bug
[wai-tuh-**keh** bag]
Year Two Kilo-Bug

Jahr-2000-Problem
>millennium bug.

YABA
yet another bloody
acronym
(Akronym)

schon wieder so ein blödes Akronym

Yahoo!
[**jah**huh]
(Produktname)

Bekanntes Suchverzeichnis (>directory) im Internet.

Yellow Pages
[**jäll**oh **peh**dschis]

Gelbe Seiten
Im Internet stehende elektronische Version der bekannten gedruckten "Gelben Seiten": Ein Branchennachschlagewerk in Form einer Online-Datenbank (>on-line, >database) für Internet-Rechner bzw. -Seiten, herausgegeben von einzelnen Interessengruppen (Uni, Gemeinde etc.) und gültig für begrenzte Bereiche (z. B. die "Yellow Pages for Michigan"), oft zusammen mit den >White Pages im Internet stehend.

Ymodem
[**wai**-mohdämm]

Datenübertragungsprotokoll für Modems
(>modem), in das sämtliche Erweiterungen des
Xmodems (>Xmodem) eingeflossen sind.
Wurde inzwischen durch das >Zmodem ersetzt.

zip
[sipp]
(Kunstwort)

"Zippen"
Das Archivieren bzw. Verpacken einer oder
mehrerer Dateien mit einem Komprimierungsprogramm wie PKZIP oder WinZip; mit PKZIP
oder WinZip manipulierte Dateien haben die
Endung .zip (>filename extension). Im deutschen Sprachgebrauch hat sich für diese Art der
Datenkomprimierung das Verb "zippen" einge-
bürgert; vgl. >data compression.

Zmodem
[**sih**-mohdämm]

1999 effektivstes und meistbenutztes Datenübertragungsprotokoll (>protocol) für Modem-
Nutzer (>modem); es können z. B. unterbro-
chene Downloads (>download) nach Wiederan-
wahl direkt an der Abbruchstelle fortgesetzt
werden.

Z-Net
Zerberus-Net

Deutschsprachiges Mailbox-Netz (>mailbox,
>network), das nach der Firma Zerberus, dem
ursprünglichen Hersteller der Netzwerksoftware,
benannt ist und zunehmend das Internet als
Backbone (>backbone) verwendet.

zone number
[**sohn** nammbə]

Bereichsnummer
Identifizierungsnummer in einer >Fidonet-
Adresse (>address), an der man den geographischen Standort eines Fidonet-Teilnehmers
erkennt.

Emoticons

Sehr häufige Zeichen

;-(
crying

weinend

:-)
happy

glücklich, fröhlich

:-|
indifferent

indifferent, gleichgültig, desinteressiert

:-(
sad

traurig

;-)
winking

zwinkernd

Stimmungen und Gefühlsäußerungen

:-||
angry

wütend

:-*
1. ate something sour
2. kiss

1. hat etwas Saures gegessen
2. Kuss

%+(
beaten up

geprügelt, erledigt, geschlagen

:-X
big kiss

dicker Kuss

:^)
broken nose
nose out of joint

gebrochene Nase, "ausgerenkte" Nase
"ausgerenkte Nase" = beleidigt, gekränkt

:~)
broken nose
nose out of joint

gebrochene Nase, "ausgerenkte" Nase
"ausgerenkte Nase" = beleidigt, gekränkt

)
(grin like a) Cheshire cat

über das ganze Gesicht / breit grinsen

:-t cross	**ärgerlich (verärgert), böse**
:´-(crying	**weinend**
>:-> devilish	**teuflisch**
:-e disappointed	**enttäuscht**
:-)´ drooling	**seibernd**
:-)~ drooling	**seibernd**
:*) (slightly) drunk	**beschwipst, betrunken**
>:-) evil grin	**boshaftes Grinsen**
:´´´-(floods of tears	**Tränenflut**
:-< forlorn	**hoffnungslos, unglücklich**
:-C jaw hits floor	**Kinnlade fällt herunter** Ausdruck von Enttäuschung
.-) keeping an eye out	**im Auge behalten**
:-D laughing out loud	**laut auflachend**
:-9 licking lips	**sich die Lippen leckend**
:-x little kiss	**Küsschen**

:-´´ pursed lips	**geschürzte Lippen, gespitzter Mund**
:-> sarcastic	**sarkastisch**
:-@ screaming	**schreiend**
:-o shocked	**schockiert**
:-V shouting	**rufend**
|-) 1. sleeping 2. bored	**1. schlafend** **2. gelangweilt**
:-6 sour taste in mouth	**bitterer (Nach)Geschmack im Mund**
:-v speaking	**sprechend**
%-) staring at a green screen	**auf einen grünen Bildschirm starrend** Seit Stunden auf einen grünen Bildschirm starrend.
*-) stoned	**"stoned"**
:-T tight-lipped	**verschlossen (sagt nichts)**
:-p 1. tongue-in-cheek 2. sticking out tongue	**1. "Zunge in der Backe"** ironisch oder scherzhaft gemeint **2. Zunge herausstrecken**
:-& tongue-tied	**wortkarg, tut sich schwer mit Reden/ Konversation**
:-/ undecided, sceptical	**unentschlossen, skeptisch**

:-))
very happy

sehr glücklich

:-((
very sad

sehr traurig

:-c
very unhappy

sehr unglücklich

:-7
wry smile

schiefes, ironisches Lächeln

|-O
yawning

gähnend

Personen und Typen

:-)-8
big girl

großes Mädchen

<|-)
Chinese

Chinese, Chinesin, Chinesen; chinesisch

5:-)
Elvis

Elvis

/:-)
French

Franzose, Französin, Franzosen; französisch

8:-)
little girl

kleines Mädchen

=:-)
punk

Punk

o:-)
saint

Heilige(r)

:-i
smoker

Raucher(in)

:-[
vampire

Vampir

Aussehen

(:-) bald	**kahl, glatzköpfig**
:-)> bearded	**bärtig**
|:-) bushy eyebrows	**buschige Augenbrauen**
X-) cross-eyed	**schielend**
:-{) has a moustache	**hat einen Oberlippenbart**
:+) large nose	**große Nase**
(-: left-handed	**linkshändig**
(-) needs haircut	**braucht einen Haarschnitt**

Attribute: Brille, Zahnspange etc.

:-)x bow tie	**Fliege, (Frack)Schleife**
R-) broken glasses	**zerbrochene Brille**
::-) glasses wearer	**Brillenträger**
:-~) has a cold	**ist erkältet**
B-) horn-rimmed glasses wearer	**Hornbrillenträger**

B:-)
sunglasses on head

Sonnenbrille auf dem Kopf tragend

8-)
sunglasses wearer

Sonnenbrillenträger

{:-)
wears a toupee

trägt ein Toupet

:-{}
wears lipstick

trägt Lippenstift

:-#
1. wears teeth braces
2. kiss

1. trägt Zahnspange
2. Kuss

Tiere und Figuren

3:-)
cow

Kuh

{:V
duck

Ente

8)
frog

Frosch

8:)
gorilla

Gorilla

8(:)
Mickey Mouse

Mickymaus
(Die berühmte Comicfigur)

:- |
monkey

Affe

:8)
pig

Schwein

|-]
"Robocop"

(Filmfigur)

[:]
robot

Roboter